KAO ER WEN

Kao Er Wen = An Saoi Mór

An tEaspag Éamann S. Ó Gealbháin

Leabhair Thaighde
An 12ú hImleabhar

KAO ER WEN

Beatha Éamainn Uí Ghealbháin
Easpag Hanyang, an tSín

Pádraig Mac Caomhánaigh, Sagart

An Clóchomhar Tta
Baile Átha Cliath

50227

An Chéad Chló

Dundalgan Press a chlóbhuail

Do Chlann Cholmáin

an saothar seo

" D'imigh Seán go Má Nuat," arsa an bhean.
" Tá sin sa tSín, nach bhfuil ? "

Scéilín as *I Remember Maynooth* le Neil Kevin

AN CLÁR

GRIANGHRAFANNA

AN RÉAMHRÁ

NÍ dalta de Dhealgán mise. Mar sin de ba mhór m'éad lena clann, murach go bhfuil gaol gairid agam leo. Nach í mo mháthair féin a seanmháthair? Coláiste Phádraig, Má Nuat. Cúis bhróid dom clann Cholmáin a bheith go líonmhar glórmhar san oiread sin áiteanna ar fud an domhain chláir inniu. Rud eile, más ionadh leat nach ball de Chumann Naomh Colmán a scríobh an leabhar seo, chuirfinn i gcuimhne duit gur mó spéis an mhisinéara sa lá amárach ná sa lá inné. Fágaimis mar sin é.

Is é obair an bheathaisnéisí anáil a shéideadh faoi na cnámha tiorma agus na féitheoga fuara. Is beag nach de thaisme a thosaigh mise ar an obair seo, nuair a tháinig mé ar shraith iomlán de *The Far East*, míosachán Chumann Miseanach Naomh Colmán a dtugann muintir na hÉireann " Misean Mhá Nuat chun na Síne " air de ghnách. Thosaigh mé ar leathanach a haon agus chuaigh tríothu go léir go dtí an deireadh. As an méid sin, agus as litreacha, nótaí, ailt agus comhráite gan áireamh, thosaigh mé a chur aithne ar Éamann Ó Gealbháin.

I gcás Ezechiel, chonaic sé na cnámha tiorma—bhí sin de bhuntáiste aige ormsa. Ní fhaca mise ach an uaigh—faoi urchar cloiche den luathbhóthar ón Uaimh go Baile Átha Cliath. Mar sin féin, agus mé ag gabháil do na litreacha, na hailt, na grianghraf-anna agus eile, shamhlaítí dom anois is arís go raibh seanchara sa tseomra liom ag mo thaobh. Dá dtabharfadh Dia ionchollú eile don fhear sin atá ina chodladh i nDealgán, feictear dom go n-aithneoinn an loinnir mheallacach sna súile liathghorma agus iad ag bogadh ina logaill arís, ar lorg an Domhain Thoir. Agus bíodh gur fear meánaosta mé atá tugtha don chathaoir uilleach agus don *dolce far niente*, sílim go n-aithneoinn a ghuth, fiú amháin dá labhródh sé liom i gcanúint iasachta Hupeh. Agus is dóigh liom—faraor, is eagal liom—nach mbeadh ar mo rogha ach éirí agus é a leanúint.

PÁDRAIG MAC CAOMHÁNAIGH

Lá Fhéile Colmáin, 1963

CAT PEIRSEACH

LÁ de na laethibh agus uair de na huairibh, mar a deir an seanchaí, bhí sagart óg ina chónaí i sráidbhaile beag in Iarthar Chorcaí. Bhí peata amháin aige, mar a bhí cat Peirseach, agus shíl an sagart gurbh air a d'fhás an ghrian. An lá earraigh seo, nuair a chuaigh an cat amach a dhéanamh goradh gréine, nocht cúpla brocaire i gcóngar dó. I bhfaiteadh na súl bhí an cat in airde ar bharr an tí agus a chuid fionnaidh mar a bheadh tom aitinn ann.

Chruinnigh scata beag gasúr thart ar na brocairí, an diabhal ina mbolg. Nuair a bhí tamall den spórt acu, agus iad ar tí imeacht, tharla gur chaith duine acu cloch suas ar an díon i dtreo an chait. I bhfaiteadh na súl bhí peata an tsagairt ina luí ar an bhóthar agus na brocairí cruinn thart ar a chorp fuilsmeartha.

Bhí fearg an domhain ar an tsagart óg agus chuir sé an milleán ar an fhear ba sine de na gasúir. Dúirt sé go gcuirfeadh sé an dlí air, rud a rinne sé. Dúirt sé freisin go scríobhfadh sé chuig uachtarán an choláiste ar a raibh an gasúr ag freastal, ionas go gcuirfí as an scoil é, rud nach ndearna sé. Ach nuair a bhí lán a bhéil ráite aige, bhí air a pheata beag deas a chur i dtalamh agus machnamh go truamhéileach ar ghuagacht an tsaoil. Níor tógadh aon leacht os cionn an chait Pheirsigh agus má tógadh ceann os cionn a mháistir ní fhaca mise é. Agus, ar ndóigh, is cuma liom, mar níl a fhios agam cén áit ar cuireadh ceachtar acu. Ach tá a fhios agam go maith cén áit ar cuireadh an gasúr. An lá sin bhí Uachtarán na hÉireann, ardeaspag agus cúigear easpag i láthair, chomh maith le scata beag as an Domhan Thoir ag iompar bratach a bhí maisithe le litreacha ab annamh a fheiceáil sa cheantar sin, faoi urchar cloiche den bhóthar ón Uaimh go Baile Átha Cliath.

Agus seo mar a tharla. . . .

BUACHAILLÍN MISE

Is buachaillín mise do shiúlaigh a lán
Ag cur tuairisc' na háite is fearr ionad,
I múineadh, in iompar, i gclú cheart 's i gcáil
I mbéasa, i dtréithe is i miotal.
Ní heol dom aon dúthaigh nó dúnbhaile breá,
Dá bhfacas im shiúltaibh ba shúgaí le rá;
Níor luíos mo shúil ar aon dúthaigh chomh breá
Leis an áit úd a nglaoitear Cill Mhuire air.

D'FHÁG mé Cathair Chorcaí an mhaidin sin i ndeireadh an Aibreáin agus d'imigh siar ó dheas. Bhí an Cháisc mall an bhliain sin, agus an spéir níos goirme, an tír níos glaise, an sceach gheal agus an t-aiteann níos gile agus níos órga ná a chonaic mé riamh le mo bheo. Ba é an bharúil a bhí agam roimh ré gur cheantar ardsléibhteach an dúiche sin, ach bhí sé go díreach cosúil le tiomáint trí Chontae Fhear Manach nó Thír Eoghain. Shín liom trí Chrois an Bharraigh, ainm nach féidir a lua go fóill gan drithlín gliondair, cé go bhfuil uisce an daichead blian imithe faoin droichead ón lá iomráiteach Márta úd. Ach ní raibh mé ar lorg ábhar an scéil sin an iarraidh seo. Thug mé faoi deara méar eolais ar thaobh na láimhe deise: Béal na mBláth. Thiontaigh mé ansin, mar bhí an-fhonn orm le fada an áit seo a fheiceáil.

Bhí an t-ádh liom. Cúpla céad slat ón áit a bhfuil cloch chuimhne Mhíchíl Uí Choileáin, casadh orm sagart óg a bhí ar laethanta saoire ón Afraic.

" Is dócha gur léigh tú cad é mar tharla an luíochán anseo," ar seisean. " Sea, tá tú i do sheasamh anois díreach san áit a raibh sé nuair a scaoileadh é. Tháinig an piléar ón choirnéal sin thíos. Bhí lucht an luíocháin istigh i dteach tábhairne giota beag suas an bóthar, agus ní raibh ach beirt nó triúr thuas ar an chnocán sin agus iad ag cur na mianach as úsáid, tá a fhios agat. Scaoil siad cúpla urchar san aer lena chur in iúl do mhuintir an tábhairne go raibh an tionlacan ag teacht faoi dheireadh. An bhfeiceann tú an sruth beag seo ar an taobh eile den fhál ? Tá a chúrsa athraithe ó shin, deirtear. . . ." Ach thug mé bhíochas dó agus d'imigh liom. Dar liom go raibh go leor scríofa agus ráite faoin luíochán seo. Ar lorg scéil eile a bhí mise.

Méar eolais eile agus léim an croí i mo chliabh: Newcestown, Baile an Iústasaigh (nó Baile Níos*). Bhí an áit agam faoi dheireadh, i ndiaidh trí chéad míle de shiúl a chur díom. Bhí mé ag súil le sráidbhaile beag, ach ní raibh ann ach teach pobail agus roinnt tithe. Stop mé an gluaisteán ar an bhóthar cúng agus chuaigh isteach i siopa beag.

" Creidim gur rugadh an tEaspag Ó Gealbháin thart faoin cheantar seo," dúirt mé le fear an tsiopa.

" Rugadh," ar seisean. " Ach fan go bhfaighe mé m'athair duit."

Tháinig a athair aníos as seomra beag i gcúl an tsiopa agus chroith lámh liom go cairdiúil.

" Is cuimhin liom go maith é. Scoith fir a bhí ann. Tar liom an bealach seo agus taispeánfaidh mé duit an áit ar rugadh é."

Giota beag suas an bóthar shín sé a mhéar i dtreo bearna san fhál. Bhí sé ag caint ar feadh an ama faoi na tithe a bhí anseo fadó agus na Dúchrónaigh a rinne luaith díobh. Ach bhí mé féin ag smaoineamh ar na nótaí a léigh mé sa chartlann i gColáiste Naomh Colmán, agus nuair a d'amharc mé isteach sa bhearna ní raibh a dhath le feiceáil ach an féar glas, agus ní raibh le cloisteáil ach ceol smólaigh.

Rugadh Éamann Ó Gealbháin tráthnóna an 23ú Samhain, Lá Fhéile Colmáin, 1882. Bhí an t-athair, Seán Ó Gealbháin, ag an cheárta le capall nuair a bhí a chéad mhac ar tí theacht ar an tsaol, agus tá seanchas ag an teaghlach gur amharc sé síos ar chlós na feirme ar a bhealach ar ais dó agus chonaic, dar leis, an teach trí thine. Bhain sé an baile amach ar léim lúith agus fuair leanbán deas roimhe, agus a bhean, Máire, go sona séanmhar i mbarr a sláinte.

An lá arna mhárach tugadh an naíonán go teach pobail Naomh Eoin Soiscéalaí gur bhaist an séiplíneach, an tAthair Ó Treasaigh é. Éamann Seán a tugadh air, agus ansin d'iompair Seán ina bhac-

---

* Baile Níos, leagan oifigiúil, 1960.

lainn an Críostaí nua go dtí an altóir, de réir ghnás na tíre, agus d'ofráil do Dhia é. I mbreithchlár an pharóiste chímid gur *Gallivan* an litriú a bhí in úsáid ag an am. Seán Ó Lórdáin (ó thaobh a mháthar) agus Caitrín Ní Ghealbháin a choinnigh le baisteadh é.

Beagán blianta i ndiaidh breith a chéad mhic, thóg Seán Ó Gealbháin teach cónaithe agus siopa i bhfogas na dtithe eile i mBaile Níos, giota beag síos an bóthar ón tseanáit, beagnach os coinne theach an phobail. Nuair a tháinig Éamann óg in aois scoile cuireadh faoi chúram an Mháistir Mhic Chárthaigh é. Gasúr ciúin, dea-mhúinte a bhí sa scoláire óg. Bhí sé lách i gcónaí lena mháthair, agus choinníodh sé súil ar an tsiopa agus ar na páistí eile di. Nuair a bhí sé corradh le dhá bhliain déag d'aois cheannaigh a athair feirm in áit a bhfuil Clódach air. Bhí an fheirm seo tuairim ar sheacht míle ó Bhaile Níos, agus is iomaí uair a cuireadh Éamann óg amach ann le haire a thabhairt do bha is chaoirigh. Ba ghnách le seanbhean darbh ainm Cáit Ní Shúilleabháin cónaí a dhéanamh san áit nua le bheith i bhfeighil na ngasúr a bhíodh ag freastal ann.

Bhí grá an domhain ag Éamann ar an teach seo, ón chéad uair a chonaic sé é go lá a bháis. Bhí díon tuí agus slinne air, agus na ballaí clúdaithe le heidhneán. Bhí bóithrín beag síos go dtí an teach ón bhealach mór, agus cnocáin ghlasa thart ar an áit—i gcruth is gur chró folaigh ón domhan mór é, i bhfad ar shiúl ó theach ar bith eile. Thíos faoin teach bhí fochlós beag féarmhar a dtugadh an teaghlach an Garraí Cabáiste air. Bhí fál ard agus balla air a chuir ar chúl na gaoithe é agus a rinne grianán de tráthnónta fada an tsamhraidh. Ní iarradh Éamann rud ab fhearr, nuair a bhíodh obair an lae thart, ná bheith ina luí istigh ann, ag foghlaim a cheachtanna nó ag súgradh lena bheirt deartháir, Seánó agus Den. I rith an lae bhíodh siad ag gabháil do ghnáthobair feirme, ag dul chun na huachtarlainne leis an bhainne nó chun an mhuilinn faoi choinne plúir nó mine. Bhí ardspéis ag Éamann i ngach uile chineál foirgneoireachta. Dhéanadh sé cróite, claíocha, geataí, piaraí agus a leithéidí. Gasúr meath-thinn a bhí sa deartháir óg, Den, agus ba ghnách le hÉamann cuidiú leis nuair a théadh sé i gcionn na gcoirceog nó na mbláth. Bhí an mháthair í féin ina garraíodóir sármhaith. Chuireadh sí sraitheanna de phiainí, de lus an bhalla, de hocas agus d'uile bhláth an ghairdín

Clódach inniu

Victeoiriaigh. Nuair a thagadh an tráthnóna shuíodh Éamann agus Den in aice leis na coirceoga, ag gabháil cheoil nó ag seinm ar an veidhlín agus ar an mhileoidean.

Ní lá iontais é, ar ndóigh, go raibh Éamann chomh ceanúil sin ar an áit seo go deireadh a shaoil. Leoga, nuair a bhí sé ina sheanfhear, agus an siúl beagnach caillte aige, théadh sé síos an bóithrín go dtí an geata le hamharc a fháil air—cé go raibh teaghlach eile i gClódach an uair sin agus athrú mór ar an teach agus ar an gharraí agus ar a lán eile.

" Bhí mé chomh ceanúil sin air," a deireadh sé, " cionn is gurbh ann a ghlaoigh Dia orm le bheith i mo shagart."

Má rinne sé dearmad de na bláthanna agus de na coirceoga uaireanta sna laethanta deacra a tháinig air, ní dhearna sé dearmad riamh de sin.

Tá seanchas ag an teaghlach go fóill " go bhfaca sé rud éigin "—sórt físe—nuair a bhí sé ina stócach óg i gClódach. Bhí a mháthair den bharúil gur inis sé sin di féin uair amháin; agus deireadh an chuid eile den teaghlach gur cinnte " go bhfaca sé rud éigin sa Gharraí Cabáiste." Cibé faoi sin, tháinig sé chuig a athair lá amháin agus dúirt gur mhaith leis bheith ina shagart. Chuaigh an t-athair agus an mháthair i gcomhairle lena chéile, agus ba é an socrú a rinne siad go rachadh sé ar scoil phríobháideach i nDroichead na Bandan, faoi stiúrú an Ollaimh Mhic Shíomóin.

Le tamall fada roimhe sin bhí iomrá leis an cheantar seo as an méid ógfhear as a chuaigh sa tSeirbhís Poist i Sasana. Bhíodh ranganna ar leith sna scoileanna go léir do ghasúir a bhí ag iarraidh dul isteach sa státseirbhís. Is suimiúil le rá go raibh Mícheál Ó Coileáin ina mhalrach óg sa taobh chéanna seo de Chontae Chorcaí san am, agus go ndearna seisean scrúdú na státseirbhíse, mar dhuine, roimh dhul go Londain dó. Ach ní ar an ghairm bheatha sin a bhí Éamann ag smaoineamh. I Meán Fómhair, 1899, chuaigh sé isteach i gColáiste Bharra i bhFearann Phiarais, cliarscoil dheoiseach Chorcaí.

Tharla an taisme bheag úd don chat Peirseach nuair a bhí sé ag freastal ansin—le linn saoire na Cásca, 1901, is cosúil. Nuair a d'fhill sé ar an choláiste lena chúrsa a chríochnú, bhí rabhadh an tsagairt óig ina chluasa ar fad. Ní hiontas mar sin nach raibh sé in ann a intinn a leagan go beacht ar a chuid stuidéir agus gur theip air sa scrúdú sinsearach.

Ach chuaigh an aimsir thart agus, de réir cosúlachta, níor tháinig scéal an chait faoi bhráid an uachtaráin. I Meán Fómhair arís bhí Éamann ar ais sa choláiste le cúrsa an scrúdaithe a dhéanamh as úire. Chuaigh a bheirt chomrádaithe, Séamas Ó Ceallacháin agus Paidí Ó Donnabháin, ar aghaidh go Má Nuat. Dhúnmharaigh na Dúchrónaigh an tAthair Séamas, níos faide anonn sa tsaol, ag teach Liam de Róiste.

Nuair a tháinig toradh an scrúdaithe amach, agus fuair Éamann scéala gur éirigh leis, d'iarr sé cead a athar le dul isteach i gColáiste All Hallows i mBaile Átha Cliath, chun a bheith ina mhisinéir. B'fhéidir go raibh sé ag smaoineamh ar an Easpag Ó Murchú i Hóbart sa Tasmáin. Bhí an seanfhear seo ina laoch ag muintir Chill Mhuire agus An Bhaile Ghallda (Crookstown), an áit ar rugadh é níos mó ná ochtó bliain roimhe sin. Oirdníodh é i Má Nuat sa bhliain 1838. Le haghaidh deoise Chorcaí a rinneadh sagart de, ach taobh istigh de cheithre mhí bhí sé imithe go Madras san India. Is fíor a rá gurbh eisean a chuir tús ar " Mhisean Mhá Nuat chun na hIndia." Chuaigh cuid mhór sagart as Éirinn amach ar an mhisean sin, sa chruth go raibh níos mó ná deich n-easpag Éireannach ag obair san India idir 1835 agus 1855. Chuir an Gorta Mór deireadh leis an ghluaiseacht, faraor, agus athraíodh an tEaspag Ó Murchú go Hóbart sa Tasmáin, áit a bhfuair sé bás i 1907. Bhí sé gaolmhar leis na Gealbhánaigh, agus b'iontach murar fhág a réim lorg éigin ar intinn Éamainn óig.

" Ní rachaidh tú," arsa an t-athair. " Tá cead agat dul go Má Nuat le haghaidh deoise Chorcaí nó fanacht sa bhaile."

" Fanfaidh mé sa bhaile, mar sin," arsa Éamann.

D'fhill sé ar an obair i gClódach arís. Bhí tráth shábháil an fhéir ann, agus bhí neart le déanamh. Bhí sé fiche bliain d'aois anois, slán, folláin agus téagar maith ann, agus a chroí in obair na feirme.

Ach seachtain roimh thús an téarma nua i Má Nuat chuaigh sé chuigh a mháthair agus d'iarr uirthi cuidiú leis a chás a réiteach.

" Rachaidh mé go Má Nuat, a mháthair," ar seisean. " Ach b'fhéidir go dtiocfadh an lá a rachainn ar na misin choigríocha."

Chuaigh sé sa rang Reitrice i Má Nuat san Fhómhar, 1902, in éineacht le cúigear eile Corcaíoch, Donncha Ó Murchú, Pádraig Ó Laoire, Seán Mac Cárthaigh, Seán de Léigh agus Séamas Ó Floinn. Nuair a théann mac léinn go Má Nuat, tugtar áit sa rang dó a choinníonn sé go ndéantar sagart de. Bhí Éamann sa dara leath den rang agus ba é "sóisear na gCorcaíoch" é. Ní fiú amharc trí liosta na nduaiseoirí ag lorg a ainm, óir ní raibh sé i measc na "nguns," mar a thugann mic léinn Mhá Nuat ar na daoine cliste. Fear é a raibh intleacht chothrom aige; ach an rud is tábhachtaí, bhí sé ag méadú i ngrásta Dé agus i gcleachtadh a dheabhóide céim ar chéim.

Le linn na laethanta saoire ba thúisce leis dul ar ais go Clódach agus oibriú ann ná aon áit eile. "Mheas mé i gcónaí," a deireadh sé, "gur lá caillte an lá nach mbínn ann." Uair amháin léirigh sé dráma darbh ainm Róisín Dubh i sráidbhaile an Bhaile Ghallda, le ciste a bhailiú don Chumann Cúrsála.

Teacht an Mheithimh, 1908, rinneadh sagairt dá bheirt chomrádaithe, Séamas Ó Ceallacháin agus Paidí Ó Donnabháin, agus samhlaíodh d'Éamann go raibh sé féin ag tarraingt ar cheann a chúrsa faoi dheireadh thiar thall. Le linn na bliana deireanaí sa choláiste aige chuala na déagánaigh Chorcaíocha—ochtar acu anois—nach mbeadh áit ar bith dóibh i ndeoise Chorcaí go ceann tamaill, agus go mbeadh siad ag brath ar easpag éigin le glacadh leo go dtí go mbeadh áit faoina gcoinne sa bhaile. Ba mhinic a smaoiníodh Éamann ar an chat damanta sin agus an scrúdú! Murach sin bheadh sé áit éigin i lár Chontae Chorcaí anois—ach ba chuma!

Bhí cara mór aige darbh ainm Séamas Ó Ceallaigh, fear as Doire a raibh a mhuintir ina gcónaí thall i Nua-Eabhrac. Bhí sé socair ag Séamas dul ann nuair a dhéanfaí sagart de. Lá dár casadh an bheirt ar a chéile, dúirt an fear as Doire:

"An bhfuil easpag agat go fóill, a Ned?"

"Níl."

"Bain triail as Brooklyn. Tífimid a chéile go minic ansin," ar seisean, sa tuin chainte a mbíodh an Gealbhánach ag aithris uirthi de shíor.

Luaigh sé le cara eile, Uilleog Ó Buachalla as Ciarraí, go raibh sé ag smaoineamh ar dhul go Brooklyn, ach dúirt Uilleog nach raibh mórán seans aige.

"Murach Bob Bairéad as an deoise s' againne a chuaigh anonn anuraidh ní bhéinn féin ag dul ann. Bhí cara sa chúirt aige, tá a fhios agat, a Ned—a shagart paróiste, an tAthair Ó Tuile. Chuir seisean focal i gcluais an V.G."

D'inis Éamann an méid seo dá chara Ó Ceallaigh, ach níor cuireadh aon anbhuain ar an fhear as Doire.

" Ní ghlacfaidh sé ach stampa amháin lena fháil amach cad é mar tá an scéal. Scríobh anocht, a Ned."

" Scríobhfaidh."

An Monsignor Mac Conmara, as Contae an Chláir, a bhí ina V.G. i mBrooklyn san am. Nuair a fuair sé an t-iarratas ón Chorcaíoch óg, scríobh sé ar ais chuig an Dochtúir Ó hÓgáin, Cláiríneach eile a bhí ina ollamh i Má Nuat—mar ní maith leis an chléir muc i mála a cheannach! Chuir " Aller," mar a thugtaí air, freagra fábhrach ar ais, agus i gcionn tamaill bhig tugadh scéala don Ghealbhánach gur glacadh leis i ndeoise Bhrooklyn go cionn trí bliana, agus go mbeadh air dul anonn faoi thús mhí na Lúnasa. Blianta ina dhiaidh sin, deireadh sé:

" Is minic a smaoinim nach bhfeicfinn na misin choíche ach go ndeachaigh mé go Brooklyn an uair sin."

Ráithe roimh oirniú a mhic buaileadh breoite Seán Ó Gealbháin, agus ar Lá Fhéile Pádraig, 1909, fuair sé bás, in aois a 62. Ba é seo an chéad chrá mór i saol Éamainn. Ligeadh abhaile as Má Nuat é. Cuireadh a athair i roilig Chill Mhuire—" cnocáinín aerach " an amhráin—an áit ar cuireadh a mhuintir le fada riamh. Sheas an deagánach óg ag béal na huaighe i gcuideachta a mháthar agus an teaghlaigh go hiomlán: Seánó, Den, Risteard, Pádraig, Mícheál, Cáit, Séamas, agus Máire. Thug a mháthair súilfheachaint ón chónra go dtí a mac a bhí gléasta ina chulaith dhubh, agus an bóna Rómhánach air, agus, dar léi: " Tá Seán imithe uainn anois agus is é Éamann fear an tí, an té a n-iarrfaidh mé comhairle air as seo amach. Márta, Aibreán, Bealtaine agus Meitheamh, agus beidh sé ina shagart—an tAthair Éamann Ó Gealbháin, le cuidiú Dé. Trí bliana i Meiriceá, agus ansin beidh sé ar ais i gCorcaigh agus gan ach dornán mílte eadrainn. Níor dhruid Dia bearna riamh nár oscail Sé ceann eile."

Chuaigh na míonna thart agus tháinig an lá mór faoi dheireadh, an tríú Domhnach tar éis na Cincíse, 20 Meitheamh, 1909. Ba é an radharc céanna é i séipéal an choláiste bliain i ndiaidh na bliana. An suíomh céanna a chonaic Éamann gach bliain ó tháinig sé go Teach na Sinsear, ach go raibh aisteoirí eile ann anois. Na naoimh chéanna sna fuinneoga arda céanna. Turas na Croiche os cionn na suíochán darach, agus na deasghnátha sin a bhí chomh féiltiúil leis na séasúir. Má d'amharc sé ar bhléineasnaí na síleála os a chionn, chonaic sé mósáicí de thriúr naomh mór na hÉireann: Colm Cille agus a shúile brónacha iompaithe ar an tír a bhí sé a fhágáil; Pádraig agus an tseamróg in airde aige ar fhána na Teamhrach; agus Colmán ag bunú mhainistir Bhobbio.

" Accedant qui ordinandi sunt ad ordinem presbyteratus," dúirt an t-ard-deagánach. Ansin liosta fada na n-ainmneacha:

" Thomas Soraghan, Armacanus." " Adsum."

" Jacobus O'Flynn, Corcagiensis." " Adsum."

" Edvardus Galvin, Corcagiensis." " Adsum."

Bhí a mháthair i láthair agus beirt dá dheartháireacha, Seánó agus Risteard, agus lean siad go cúramach na focail shollúnta sna leabhair bheaga a bhí acu:

" Bíodh bhur dteagasc ina leigheas spioradálta do phobal Dé, agus bíodh cumhracht bhur mbeatha ina cúis áthais d' Eaglais Chríost. Go méadaítear mar sin, trí sheanmóireacht agus dea-shampla, an teach, is é sin, teaghlach Dé, ionas nach cúis damnaithe domsa bhur n-ardú, ná daoibhse . . . ach luach bhur saothair."

Rinne an t-easpag, an Dochtúir Breatnach, Ardeaspag Bhaile Átha Cliath, na deasghnátha eile, an Síneadh, Liodán na Naomh. Ansin an nóiméad míorúilteach sin nuair a tháinig an Spiorad Naomh anuas go híseal agus thug d'Éamann Ó Gealbháin as Cill Mhuire an tsagartacht a thug Críost do Pheadar agus do Phól, do Phádraig agus do Cholmán roimhe. Ardaíodh guthanna an chóir sa Veni Creator Spiritus, agus thosaigh na sagairt nua ar an Aifreann le chéile—an Laidin á haithris go glinn acu tráth a raibh na focail a chleacht siad go coitianta á bhfeidhmiú anois acu don chéad uair riamh. Ansin an rabhadh deireanach, agus an mórshiúl síos chun an dorais, ina mbeirteanna, ag cur síneadh leis an líne fhada a thug an soiscéal chun na Mór-Roinne sular thug an Lochlannach a chéad ruathar ar chladaigh na hÉireann. Amach ansin faoi ghrian na mallmhaidine, agus Seánó, Risteard, agus a mháthair dhílis féin ar a nglúine roimhe ar an fhéar glas faoi na fáibhilí.

DO SHIÚLAIGH A LÁN

AN Domhnach céanna a rinneadh sagart d'Éamann Ó Gealbháin i gColáiste Phádraig i Má Nuat, bhí sagart óg Ceanadach i mbun a dhualgas ar an taobh eile den domhan, i gCúige Chekiang sa tSín. Fear ard, tanaí, géarshúileach a bhí ann. Chuirfeadh a iompar bogha teann i gcuimhne duit. John M. Fraser ab ainm dó. Chiallaigh an tM sin Mary, ainm a ghlac sé nuair a rinneadh sagart de. B'iontach an fear é ar gach aon dóigh. Dá mbeadh sé ann inniu is dóigh go mbeadh sé ar an chéad spásárthach chun na gealaí—mar shéiplíneach, ar ndóigh. Rugadh i dToronto é ar an 28ú Meitheamh, 1877, an bhliain i ndiaidh Sheasamh Chuster ag an Little Big Horn. Go luath ina shaol d'éirigh sé mór le sagart darbh ainm Monsignor Cruise agus tháinig as an chairdeas sin gur shocraigh sé ar chúrsa sagartóireachta a dhéanamh sa Roinn Eorpa. Brignolo Sala, in aice le Genoa, an tAlma Mater a bhí ag an Mhonsignor Cruise, agus is ann a chuaigh Fraser óg. Rinneadh sagart de sa bhliain 1901, agus d'ofráil sé é féin do Choláiste Naofa an Phropaganda Fide. Cuireadh chun na Síne é, áit ar oibir sé leis na hUinseannaigh Fhrancacha ar feadh ocht mbliana.

Sa bhliain 1910 chuaigh sé chun na Stát Aontaithe lena fháil amach an gcuirfí cliarscoil ar bun ansin do mhisin chun na Síne. Ach fuair sé amach go raibh daoine eile ag smaoineamh ar an rud céanna, agus go raibh cumann náisiúnta bunaithe ag easpaig Mheiriceá, faoi threoir an Athar James Anthony Walsh. Tugadh Maryknoll ar an chliarscoil seo níos faide anonn. Cad é faoi Cheanada, mar sin, a thír féin ? Ar aghaidh leis arís. Chuaigh sé trasna an Atlantaigh ar an Lusitania, ag triall ar an Róimh ar lorg cead an Phápa le cumann misinéirí Ceanadacha a bhunú. Ach ní raibh a lucht éisteachta chomh díograiseach leis féin, agus ní bhfuair sé ach gealltanas neamhchruinn " go mbeadh sé ceart go leor dá mbeadh na heaspaig Cheanadacha fonnmhar." Tháinig sé ar ais trí Ghenoa, agus bhuail isteach chun a sheancholáiste, áit a raibh baicle bheag mac léinn Éireannach. Thug siadsan comhairle dó Éire a thriail, agus d'imigh sé leis, via Lourdes agus Londain, go Baile Átha Cliath, gan aon oíche amháin de scíste a dhéanamh.

Bhain sé príomhchathair na hÉireann amach lá samhraidh amháin. Mí an Mheithimh a bhí ann, agus bhí a fhios aige go mbeadh na cliarscoileanna ag dúnadh gan mhoill. Taobh istigh de thrí huaire i ndiaidh theacht go Baile Átha Cliath dó bhí sé ag tabhairt léacht do na mic léinn in All Hallows. Lá nó dhó ina dhiaidh seo bhí sé ar an obair chéanna i Má Nuat. Ní raibh an séasúr rófheiliúnach don ábhar a bhí idir lámha aige. Bhí an téarma fada ag teacht chun críche agus an lucht éisteachta ag smaoineamh ar na laethanta saoire, agus ní raibh an iomarca airde acu ar an fhear ard géarshúileach seo ar stáitse an Aula Maximia—sagart fanaiceach a raibh roinnt sleamhnán laindéir aige. Ní raibh ann ach gurbh fhearr a bheith ag éisteacht leis ná bheith cuachta istigh ina seomraí.

Ar feadh trí mhí chuaigh an Ceanadach ard thart ar an tír mar a bheadh an ghaoth Mhárta ann. Nuair a d'fhill na mic léinn ar Mhá Nuat óna laethanta saoire bhí sé os a gcomhair amach arís, ag caint faoi áiteanna a raibh ainmneacha coimhthíocha orthu, faoin oiread págánach is a bhí sa tSín, agus mar sin de. Bhí cruóg aisteach éigin ag baint leis an fhear seo, agus é ina sheasamh chomh huaigneach sin ar an stáitse, rud ar mheabhraigh na mic léinn go minic air nuair a d'imigh sé. D'iarr sé ar easpaig na hÉireann cliarscoil don tSín a bhunú áit éigin sa tír, agus thug an Cairdinéal Ó Laodhóg teach agus cúig acra fichead talaimh dó in aice le Mainistir Bhuithe.

Ach ní raibh ciall ar bith ag mo dhuine d'obair leadránach mar bhailiú airgid agus tógáil coláiste. Scríobh sé chuig an Athair T. M. Taylor, ollamh i gcliarscoil Bhearsden in Albain, ag iarraidh air teacht agus bun a chur leis an obair in Éirinn. Ní nach ionadh, ní raibh an tAthair Taylor in inmhe teacht; agus san Fhómhar, 1911, bhí Fraser ar ais sna Stáit Aontaithe agus gan aige ach gealltanas ó chorrshagart anseo is ansiúd, an rud céanna ó chorrmhac léinn, agus rud beag airgid. I lár Eanáir, 1912, thug sé cuairt ar Bhrooklyn. Chuaigh sé go dtí 141 Chauncey Street, áit a raibh cléirtheach an Phaidrín Naofa, agus ar theacht chun an dorais dó bhuail sé an clog. . . .

D'fhág an tAthair Ó Gealbháin a thír dhúchais agus d'imigh go Nua-Eabhrac an chéad seachtain de Lúnasa, 1909, sa línéar den White Star, Oceanic. Bhí sagart eile, an tAthair Seosamh Ó Damháin as Cill Dalua, ar bord leis. Nuair a bhain sé Nua-Eabhrac amach bhí an bheirt Chiarraíoch sin, na sagairt Ó Buachalla agus Bairéad, ag feitheamh leis le fáilte a chur roimhe agus lena thabhairt go cléirtheach an tSlánaitheora Naofa. Fuair sé fáilte chairdiúil ansin ón tréadaí, an tAthair Ó Tuile, agus dúradh leis cur faoi sa teach go mbeadh sé " cleachta leis an talamh tirim " arís.

Chomh luath is a bhí sé " cleachta " chuaigh sé go dtí an Biocáire Ginearálta, an Monsignor Mac Conmara, mar go raibh an t-easpag, an Dochtúir Mac Dónaill, ar cuairt sa Róimh.

" Ó sea," arsa an V.G., " is tusa an tAthair Ó Gealbháin. Is cuimhneach liom an litir a chuir tú chugam. Thug an Dochtúir Ó hÓgáin teastas maith ort. Agus ceart go leor, is léir gur sagart óg, mór, láidir tú. Sea, beidh tú ag dul chuig an Monsignor Mac Conrubha sa Phaidrín Naofa. Bhí trioblóid bheag aige le tamall—na séiplínigh, tá fhios agat—ach is Éireannach é, ár ndálta féin, agus ba cheart go mbeadh teacht maith agatsa leis. Ná bac leis, a Athair Uí Ghealbháin, má thugann sé sciolladh teanga duit, cuimhnigh go raibh sé ina shagart anseo sular rugadh tú."

Thug sé nóta don Ghealbhánach lena thabhairt dá thréadaí nua, agus le titim na hoíche chuaigh Éamann agus Bob Bairéad anonn go cléirtheach an Phaidrín Naofa. Lig Bob a aithne leis an tseanfhear, á rá go raibh sé ina shéiplíneach ag an Athair Ó Tuile. Bhí a fhios aige gur tháinig Mac Conrubha agus Ó Tuile araon as Contae an Chabháin. Ansin chuir sé a chompánach in aithne dó, mar seo:

" Seo an tAthair Ó Gealbháin atá díreach tar éis teacht anall as Éirinn; cuireadh anseo é mar shéiplíneach chugat."

Ar imeacht don Bhairéadach as an teach d'iarr an seanfhear ar an Athair Ó Gealbháin bheith ina shuí.

" Tig leat fanacht anseo chomh fada agus is mian leat," ar seisean, agus thosaigh a chur ceisteanna air faoina thír dhúchais, faoi All Hallows, agus faoin turas trasna an Atlantaigh. I gceann tamaill bhig ba léir don fhear óg nár thuig an tréadaí an méid a dúirt an Bairéadach. Bhain sé an nóta as a phóca agus thug dó é le focal míniúcháin. D'éirigh an seanfhear aniar sa chathaoir de phreab.

" Cé acu den bheirt seo atá le himeacht ? " ar seisean.

" An tAthair Ó Cearbhaill, creidim."

D'éirigh an tréadaí, d'oscail an doras agus scairt suas an staighre in ard a chinn.

" A Athair Uí Chearbhaill ! "

Tháinig gnúsacht ón chéad urlár.

" Cad é tá ort anois ? "

" Tá an B.G. i ndiaidh sagart a chur chugam i d' áit, agus féadann tusa imeacht chomh luath agu is mian leat."

" Imeoidh mé ar m'uain féin, go raibh maith agat."

Tháinig an tréadaí isteach sa tseomra arís agus loinnir ina shúile.

" Ba é sin an tAthair Ó Cearbhaill, mar gheall air— ! " ar seisean.

Rinne an bheirt acu a gcomhrá ar feadh tamaillín eile, go raibh sé ag druidim le ham luí. Ansin chuaigh an seanfhear suas an staighre roimh an fhear óg le seomra leapa na gcuairteoirí a thaispeáint dó. Seomra beag a bhí ann, é plúchta te le taise na Lúnasa.

" Níl tú cleachta leis an ghás, is dóigh," ar seisean ag lasadh an tsolais.

" Ó tá."

" I Má Nuat, an ea ? "

" Arú, tá an aibhléis acu ansin anois."

" An bhfuil ? " arsa an tréadaí, agus iontas an domhain air. " Féach sin anois ! Ach ná déan dearmad a mhúchadh roimh dhul a luí duit. Ná bí ag séideadh air, mar gheall ar— ! Oíche mhaith agat, a Athair Uí Ghealbháin."

" Oíche mhaith agat féin, a Mhonsignor."

Ní raibh an seanfhear ag bun an staighre nuair a buaileadh cnag ar an doras agus tháinig sagart isteach.

" Is mise Ó Cearrbhaill."

" Ó Gealbháin anseo."

Thug an fear nua rabhadh dó faoin tréadaí, agus faoin tséiplíneach eile, an tAthair Ó Conghaile, a bhí ar saoire ag an am. Ba ghearr an t-agallamh é, ach ba leor é lena aithint gur dhuine é seo a raibh an gearán go smior ann.

Ar maidin lá arna mhárach, ghlaoigh an tréadaí air isteach ina sheomra arís, agus dúirt:

" Féach, caoga dollar an tuarastal míosúil anseo, iníoctha ag deireadh na míosa, mar gheall ar— ! Ach níl tusa ach i ndiaidh teacht anseo agus beidh tú gann in airgead, is dóigh. Seo duit é roimh ré."

Chonacthas don Ghealbhánach gur throime a bhagairt ná a bhuille. Anonn sa mhaidin fuair sé a chéad ghlaoch ola, nuair a tháinig cailín gorm chun an dorais le scéala go raibh a máthair ag fáil bháis. Bhí ar an tsagart óg stoil, pioscas agus uile a fháil ar iasacht ón tseanfhear. Nuair a chuaigh sé anonn go dtí an teach fuair sé amach gur bhean darbh ainm Bríd Nic Aodha a bhí tinn, agus gur rugadh i gContae Mhaigh Eo í.

" Pósadh mé ar fhear daite fada ó shin agus bhí saol séanmhar sona againn lena chéile. Ach ba ghnách liom i gcónaí a iarraidh ar Dhia sagart Éireannach a chur chugam ar uair mo bháis."

D'éist sé a chéad fhaoistiní Dé Sathairn, agus ar an Domhnach bhí dhá Aifreann agus Beannacht an tráthnóna aige. Bhí sé ag teacht amach as teach an phobail i ndiaidh na Beannachta nuair a casadh air sa phóirse suas le fiche bean a bhí ag fanacht leis. Chuir siad gach uile cheist air, agus nuair a bhí sé á bhfágáil chuala sé seanbhean amháin ag rá faoina hanáil:

" Maise, a Mháire, nach mór an trua nach as Maigh Eo é ! "

Bhí saol fada corrach caite ag an tréadaí féin, an Monsignor Mac Conrubha. Ba mhaith ab fhiú a bheatha a scríobh, ach go mb'fhéidir nach gcreidfeadh aon duine gur tharla a leithéid riamh. Bhí sé thar cheithre scór anois, agus é ina shagart le corradh agus caoga bliain—ón lá a hoirníodh é in All Hallows sa bhliain 1858.

" Sagart anabaí a bhí ionam, mar gheall ar— ! " a deireadh sé, ag tagairt don luathoirniú a rinneadh air nuair a tógadh as an choláiste é lena chur go Meiriceá. Chuaigh sé trasna an Atlantaigh i long seoil, agus é go cumhach tinn an chuid is mó den daichead lá a bhí siad ar muir. Nuair a bhain sé Nua-Eabhrac amach chuir an t-easpag i mbun an Teagaisc Chríostaí é, agus dúirt: " Teagasc an méid sin—dath ar bith eile." Bhí sé ina thréadaí i nGlen Cove ar feadh daichead bliain, sular tháinig sé go Chauncey Street. Leis an fhírinne a rá, ní raibh clú ró-ard air ag na séiplínigh. Agus, má b'fhéidir é, bhí clú ní b'ísle aigesean orthu. B'eol do chách go dtugadh sé cuairt ar an easpag gach maidin Luain, nach mór, le tuarascáil a thabhairt ar imeachtaí na sagart óg a bhí aige. Ach caithfear a admháil nach raibh aon trioblóid riamh aige leis an fhear nua seo as Corcaigh.

" Trioblóid ar bith," dúirt sé le cara leis, " mura n-abra tú rud éigin in éadan na hÉireann, nó mura gcuire tú isteach air agus é ag urnaí."

Bhí grá mór ag an tseanfhear ar cheol agus ar sheanamhráin na hÉireann. Bhrúdh sé doras an Ghealbhánaigh isteach lena chois agus mám mór de bhileoga ceoil ina bhaclainn aige.

" Cad é faoi amhrán, mar gheall ar— ! " deireadh sé. Agus ansin mheasctaí guthanna an Chabháin agus Chorcaí le chéile in " Éirí na Gealaí " nó " Who fears to speak of '98 ? "

Uair amháin chuaigh an bheirt acu chuig ceolchoirm a thug Mac Cormaic i Nua-Eabhrac. Nuair a bhí an teanór clúiteach ag gabháil " I'm sitting on the stile, Mary," thug Éamann strac-fhéachaint ar an tseanfhear agus thug faoi deara go raibh a shúile ina linn deor.

Is cosúil gurbh é an chéad rud a tharraing meas an tréadaí ar an tsagart nua go raibh toradh iontach ar ranganna na Scoile Domhnaigh aige. Ní raibh aon scoil pharóiste sa Phaidrín Naofa, agus thionóltaí na ranganna Teagaisc Chríostaí i dteach an phobail, ach amháin i mí Lúnasa nuair a bhíodh na girseacha i dteach an phobail agus na gasúir thíos ar an urlár faoi thalamh, áit a gcruinníodh siad ina scroblach allasach callánach. An chéad Domhnach a bhí Éamann agus an scroblach seo i láthair a chéile, thug sé faoi deara beirt ghrabaire ag troid thuas in aice leis an altóir. Ba léir nach raibh aon smacht orthu. Níorbh fhada gur thuig siad go raibh fear a múinte le fáil. Nuair a bhí a fhios aige go raibh smacht ar an dream seo, thosaigh sé ar an dara namhaid a bhí ag an tréadaí: na friothálaithe Aifrinn. Cé go raibh an seanfhear rud beag amhrasach an iarraidh seo, b'éigean dó a admháil go raibh " fear na míorúilte " buach arís.

Chuaigh na laethanta thart. D'éirigh Éamann an-eolach ar Nua-Eabhrac agus ar Bhrooklyn na haimsire sin, agus níos eolaí arís ar an mhuintir a chónaigh iontu. D'éirigh muintir an Phaidrín Naofa eolach airsean freisin. D'aithin siad go raibh acu fear cráifeach simplí a shiúil ina measc díreach mar a shiúlfadh Críost, gan difear a dhéanamh idir íseal nó uasal, saibhir nó daibhir, daite nó bán nó buí. Anonn i 1910 thug an tAthair Dónall Breatnach,

C.M., cuairt ar an pharóiste. Thug sé seanmóir i dteach an phobail ar an 7ú Deireadh Fómhair, Lá Fhéile an Phaidrín Naofa. Tharla go raibh seisean ina oide spioradálta i Má Nuat nuair a bhí Éamann ann, agus bhí a lán scéalta le malartú ag an bheirt acu. Nuair a scríobh an tAthair Breatnach tamall ina dhiaidh sin, dúirt sé gur casadh a lán cairde as Má Nuat i Meiriceá air, agus go mbeadh cuid acu ag fanacht thall. "Is cinnte go rachaidh an tAthair Ó Gealbháin ar ais to Corcaigh," a scríobh sé mar fhocal scoir.

Faoi cheann chúpla mí eile bhí an guth mealltach a chuala Éamann i gClódach fadó ag cogar arís leis. Cogar beag bídeach a bhí ann, ar ndóigh, ach níorbh fhéidir é a chur ina thost. Daichead bliain ina dhiaidh sin, nuair a bhí sé ina easpag, dúirt sé nár thuig sé i gceart fós cad é, go bunúsach, a bhí á tharraingt i dtreo na misinéireachta. Léadh sé annála Propaganda Fide i Má Nuat, ar ndóigh, ach léití rud ar bith ansin mar go gcuireadh sé thart an t-am. Thug an Dochtúir Mac Giolla Mhártain, an déan sinsir, léacht dóibh uair amháin faoi chuairt a thug sé ar an Mhór-Roinn. Labhair sé go fras ar na rianta dochomhairithe a chonaic sé den obair a rinne na Gaeil ann sa séú is sa seachtú céad, agus ba chuimhneach leis an Ghealbhánach gur chuir sin ag smaoineamh é, agus go ndúirt sé le cara éigin: "Sea, ach cad chuige a bhfuilimid i gcónaí ag caint ar an am atá caite? Cad é táimid á dhéanamh i láthair na huaire?" Mar sin féin, b'fhada go fóill é ó bheith ina mhisinéir.

Thart faoin am seo thosaigh sé a chur suime i staid na hEaglaise ar an taobh eile de na Stáit Aontaithe, sna deoisí thiar. De réir cosúlachta bhí athrach scéil ansin ar staid na hEaglaise thar mar a bhí in Éirinn, nó i mBrooklyn féin, áit a raibh leordhóthain sagart le freastal ar an phobal. Nach bhféadfadh sé obair ní ba riachtanaí a dhéanamh dá mbeadh sé amuigh ansin? Lá amháin chinn sé ar scríobh chuig easpag Tucson in Arizona. Bhí draíocht ar leith ag baint leis na hainmneacha sin, mar bhí daoine ann go fóill ar chuimhneach leo Doc Holliday agus an troid ghunnaí ag an O.K. Corral; daoine freisin ar chuimhneach leo Geronimo, an tApáiseach mór deireanach. Ach níor casadh na daoine sin riamh ar Éamann. Léigh an t-easpag an litir, ach cé go raibh sagairt in easnamh air i dTucson ba fhreagra neamhdhíocasach ciúin a chuir sé ar ais go Brooklyn.

"Níl ach deoise bhocht agam anseo agus, leoga, tá sé deacair go leor soláthar do na sagairt atá ag obair liom cheana féin. Ar an ábhar sin ní féidir liom glacadh leat. Dá mbeadh stipinní Aifrinn ar bith sa bhreis agat. . . ."

Nuair a léigh Éamann na focail sin dar leis go mb'fhéidir go raibh sé ina idéalaí neamhphraicticiúil, agus is beag nár chaith sé smaoineamh na misinéireachta amach as a cheann ar fad. Níor chaith áfach. Ní raibh an cogar beag múchta fós. Go luath sa bhliain 1911 tháinig misinéir ón Afraic go paróiste an Phaidrín Naofa ag iarraidh cabhrach. D'iarr Éamann a chomhairle, rud nach ndearna sé riamh lena thréadaí nó leis an bheirt sagart eile. Ach má d'iarr, cuireadh cúl air arís.

" Nach bhfuil tú suite go deas seascair anseo ? " arsa an misinéir. " Obair mhaith ar son anama atá idir lámha agat, agus tig leat cuidiú leis na misin choigríocha san áit a bhfuil tú. Chonaic tú an méid airgid a thóg mé inniu: cúig chéad dollar. Sibhse a rinne sin chomh maith liomsa. Ní féidir leat a rá, sílim, go mbeifeá chomh séanmhar ar na misin, nó go mbeadh do shaothar chomh torthúil is atá sé anseo.

Dea-chomhairle a bhí inti den chineál is deacra a leanúint, agus is dócha go raibh aithreachas ar an mhisinéir idir sin agus tráthas, má fuair sé amach riamh cad é mar thit an scéal amach sa deireadh. Ba ghnách le hÉamann a rá, blianta ina dhiaidh sin agus é ina easpag, gurbh é sin an cur ar gcúl ba mhó dá bhfuair sé riamh. Ach bhí rud éigin ag an Tiarna faoina choinne, agus ní raibh Sé ach ag faghairt an chlaímh. Ní fada anois go mbeadh míreanna an tomhais ag teacht le chéile, an cat agus an sagart óg i mBaile Níos, an t-ardteastas sin sa choláiste, an post sealadach seo i mBrooklyn, agus an Ceanadach ard géarshúileach ag trasnú an Atlantaigh leis an chlog a bhualadh ag doras 141 Chauncey Street.

AG CUR TUAIRISCE

OÍCHE Dhomhnaigh amháin, go luath sa bhliain 1912, chuaigh an tAthair Ó Gealbháin a luí i gcléirtheach an Phaidrín Naofa, agus rún daingean aige cogar beag áirithe a chur ina thost go deo. Ar báal maidine rachadh sé lena chás chuig an Mhonsignor Dunne, an fear a bhí i mbun obair Propaganda Fide i Nua-Eabhrac.

Ba é an tAthair Mac Aodha a bhí ina chompánach aige sa chléirtheach ó d'imigh an tAthair Ó Conghaile, agus dhéanadh an bheirt acu " na glaonna " a mhalartú gach re seachtain. Bhí an tAthair Ó Gealbháin " saor " an tseachtain seo. D'éirigh sé ar maidin, léigh Aifreann a hocht, rinne a bhricfeasta, agus bhí ar a bhealach amach nuair a nocht an bhean chuige sa doras:

" A Athair, mo mháthair—tá sí an-tinn ar fad."

" Is trua liom sion. Fán go bhfaighe mé an tAthair Mac Aodha duit. Tá seisean ar na glaonna inniu."

" Ach dúirt sí go speisialta gur leat féin a bhí sí ag súil, a Athair."

Fuair sé stoil, pioscas agus eile, agus ar aghaidh leis. Bheadh am go leor aige an Monsignor Dunne a fheiceáil ina dhiaidh sin. Sin mar a mheas sé. Ach nuair a d'fhill sé go Chauncey Street bhí glaoch eile roimhe, agus b'éigean dó imeacht athuair. Ar theacht abhaile dó an iarraidh seo, tuigeadh dó nach mbeadh maith dó dul go Nua-Eabhrac anois, mar go raibh clog an lóin ag bualadh. Samhlaíodh dó go raibh an Tiarna á choinneáil ón Mhonsignor Dunne, agus is cosúil gurbh fhíor.

Chuir sé síos an dá ghlaoch sa leabhar go tuirsiúil, agus shroich an seomra bia díreach nuair a bhí an seanfhear ag rá an altaithe. Bhí an tAthair Mac Aodha ar a chlé, agus bhí sagart iasachta éigin eile ina chathaoir féin ar dheis.

" Seo an tAthair Ó Gealbháin, a Athair Fraser," arsa an tréadaí le mionghaire. " Rachaidh seisean leat chun na Síne."

Le linn an lóin labhair an Ceanadach ard gan stad faoin tSín, faoin turas a rinne sé ar an Mhór-Roinn, agus faoi na léachtaí a thug sé in All Hallows agus i Má Nuat. Níor dhúirt an Gealbhánach mórán i rith an bhéile, ach murar labhair sé bhí sé ag éisteacht go cíocrach le gach focal. Bhí imeachtaí na maidine ag rith trína intinn, an dá ghlaoch agus an coinne leis an Mhonsignor Dunne, agus anois sagart as an tSín ina shuí ag an aon tábla leis. Má ba mhian leis dul ar na misin choigríocha, bhí seans aige le breith ar an fhaill anois nó riamh.

I ndiaidh an lóin chuaigh siad uile isteach i seomra an tréadaí a chaitheamh todóg, agus nuair a bhí an tAthair Fraser réidh le himeacht d'iarr Éamann air dul suas nóiméad leis chun a sheomra féin. Níor luaithe an bheirt acu leo féin ná dúirt Éamann go tobann go rachadh sé leis chun na Síne dá mba thoil leis é. D'aontaigh an Ceanadach láithreach, agus dúirt leis scríobh go Corcaigh le cead a easpaig a fháil. Bhí an t-agallamh thart taobh istigh de dheich nóiméad.

Sna laethanta ina dhiaidh sin, d'éirigh sé rud beag amhrasach faoin tsocrú a bhí déanta aige. Cuireadh trína chéile arís é nuair a fuair sé focal óna easpag féin ag rá go raibh áit faoina choinne i ndeoise Chorcaí anois. Ba dheacair ar fad an socrú deireanach a dhéanamh. Ansin lá amháin bhí sé i dteach an phobail le linn na Quarant Ore. Chuaigh sé ar a ghlúine arís is arís roimh an ardaltóir, ach ní raibh sé in inmhe an focal scoir a rá. Don tríú huair d'umhlaigh sé roimh an altóir, agus, mar a dúirt sé féin:

" Labhair mé le Dia mar bheinn ag caint le m'athair. Bhí gach diabhal as Ifreann thart orm, mar bhí a fhios acu go gcuirfinn a gcuid pleananna síos is suas."

Bhí easpag Bhrooklyn ina éadan ar dtús. Ach nuair a chonaic sé an mianach a bhí sa tsagart óg d'iarr sé air dul ar a ghlúine agus thug a bheannacht dó.

" Ba mhaith liom a chur in iúl duit, a Athair Uí Ghealbháin," ar seisean, " go bhfuil áit anseo duit a fhad is bhéas mise ar an tsaol."

Ní raibh mórán sa bhreis sa litir a fuair sé ó easpag Chorcaí.

Fearann Phiarais,
Corcaigh,
15-2-'12.

Tá cead ag an Athair Ó Gealbháin glacadh le cuireadh chun misin na Síne. Tá na tuairiscí ina thaobh ar fheabhas.

T. A. Ó CEALLACHÁIN, O.P.
Easpag Chorcaí.

Nuair a fuair muintir an pharóiste amach go raibh an séiplíneach óg ag smaoineamh ar dhul chun na Síne thosaigh siad a thabhairt bronntanas go dtí an cléirtheach, stoileacha, suirplísí agus airgead go háirithe.

" Ní bheidh tú ábalta an méid sin go léir a phacáil," arsa an tréadaí, " agus inis seo dom mar gheall air— ! Cad é a dhéanfaidh mise leis an rang Domhnaigh seo, agus leis na friothálaithe ? An bhfuil a fhios seo agat ? Tháinig cuid acu go dtí an doras inniu ag iarraidh dul chun na Síne i do chuideachta ! "

Rinne Éamann fanngháire. Ach b'fhada a smaointe ó Bhrooklyn anois, óir bhí sé ag meabhrú ar a mháthair agus í ina baintreach. An oíche sular fhág sé an cléirtheach scríobh sé litir chuici.

Ní féidir an litir sin a léamh inniu féin gan ceo a theacht ar na súile nó tocht sa scornach. B'eisean an duine ba sine den teaghlach, agus bhí teaghlach mór ann. Ón uair a fuair an t-athair bás ba é Éamann " ceann an tí," de réir a mháthair. Scríobhadh sé chun an bhaile go rialta, ar ndóigh. B'iontach an scríbhneoir litreacha é go deireadh a shaoil; ach níor scríobh sé riamh rud ar bith chomh géar goinbhlasta leis an litir seo, agus é ina shuí ina sheomra ar a cúig a chlog ar maidin:

Cléirtheach an Phaidrín Naofa,
141 Chauncey Street,
Brooklyn, N.Y.
Feabhra 28, 1912.

Do mo mháthair dhil féin,

Is trua liom, a mháthair dhílis go bhfuil orm an litir seo a scríobh, ach toil Dé go raibh déanta. Ar a lámha atá gach ní. A mháthair, ná bíodh brón ort, ná bí ag gol. Is é toil Dé é. Ghlaoigh Dia orm agus ní foláir dom na horduithe a chomhlíonadh.

Ní bheidh mé ag filleadh ar Éirinn. Beidh mé ag dul chun na Síne mar mhisinéir. Toil Dé go raibh déanta.

Tá a fhios ag Dia go bhfuil mo chroí briste, ní mar gheall orm féin ach mar gheall ortsa a bhfuil grá agam ort thar an domhan go huile. D'iarr mé comhairle sagart agus d'inis dóibh gach ní a bhí ar m'intinn. Dúirt siad go léir an rud céanna: " Caithfidh tú rogha a dhéanamh idit toil Dé agus toil do mháthar." Sin an rud a dúirt siad go léir. Cé acu a dhéanfainn ? Ó mo léan ! Shiúil mé an seomra seo ó lá go lá mar a bheadh fear mire ann. Bhí a fhios agam cad é mar ghoillfeadh sé ort, óir bhí tú de shíor ag brath ar mhisneach uaim, mar a bhí siad uile sa bhaile. Ach dúirt mo choinsias liom gurbh fhollasach mo dhualgas, agus lean mé mo choinsias. Lean mé gairm Dé, agus d'ofráil mé mar íobairt mo mháthair féin ar son Dé, le súil go sábhálfaí na hanamacha ar básaíodh Críost ar a son.

A mháthair, tá a fhios agat go raibh seo i m'intinn de shíor. Ach mheas mé gur smaoineamh amaideach a bhí ann, dúil pháistiúil, agus go n-imeodh sé nuair a thiocfadh ann dom. Ach níor imigh sé riamh, riamh, riamh.

Ní féidir liom scríobh, is cosúil mé le fear a bheadh ag dul chun na croiche. Tá mé i mo shuí anseo i rith na hoíche agus mé á scríobh seo ar a cúig a chlog ar maidin. Ní féidir liom codladh. Cad chuige a bhfuil orm imeacht ? Cad chuige ar iarr Dia orm an rud seo a dhéanamh atá ag briseadh an chroí istigh ionam ? Níl a fhios agam. Ag Dia atá a fhios. Toil Dé go raibh déanta. " Más áil le haon duine teacht i mo dhiaidhse, séanadh sé é féin, agus tógadh sé a chrois agus leanadh sé mé." Ó, sea, ach a Dhia, níor shíl mé riamh go mbeadh an leanúint chomh deacair sin. Thug mé iarraidh leanúint nuair a ghlaoigh Tú. Mar sin iarraim ort sólás a thabhairt do mo mháthair bhocht, misneach a mhúscailt inti, cuidiú léi san íobairt seo, agus í a thabhairt slán go gcasfar ar a chéile arís sinn. Ní ar mo shon féin a iarraim seo ach ar a sonsa. Tá mé ag imeacht an mhaidin seo, 28 Feabhra, chun na Síne. Ó is fuath liom an t-ainm sin. Ach táim ag dul ar son Chríost agus ar son na n-anamacha is fearr leisean ná an domhan mór go léir.

Fuair mé cead ó Easpag Chorcaí.

A mháthair, bíodh uchtach agat. Tabharfaidh Dia aire daoibh. Déanfaidh Sé é. Níl a fhios agam cén dóigh, ach déanfaidh Sé é.

Slán agat, a mháthair; scríobhfaidh mé arís gan mhoill.

Do mhac ionúin,

Éamann.*

Chuir sé an litir ina phóca, ag brath í a chur sa phost ar ball. Bhí air scaradh le Brooklyn anois. Brooklyn, an áit inar chaith sé " na laethanta ba shéanmhaire agus ba neamh-bhuartha dá raibh

* Tá an litir seo i seilbh Cháit, deirfiúr an easpaig, Teach Bhaile Mhichíl, Lios Ardachaidh, Co. Chorcaí, áit a gcoinnítear idir dhá phláta gloine í.

agam le mo bheo." Tar éis Aifrinn luaith d'fhág sé an cléirtheach ar a seacht a chlog. Sa bhliain 1949, nuair a bhí sé ina easpag sa tSín, scríobh sé:

" Bhí scata mór daoine cruinnithe thíos an staighre, agus is cuimhin liom go fóill an chumha a bhí orm ag imeacht an mhaidin smúitiúil ghruama sin. Tháinig mé chucu agus mé i mo shagart óg soineanta as Éirinn. Fuair mé sonas i measc na sagart maith agus an phobail sin, sonas nach raibh agam riamh ó shin. Chuaigh cuid acu liom go dtí an Grand Central Station, agus nuair a ghluais an traein amach ar a bealach go Buffalo agus go Toronto thit mé síos ar an tsuíochán agus chaoin mé uisce mo chinn, mar a bheadh mo chroí ar tí briseadh."

Bhí an tAthair Fraser ag tabhairt léachta i dToronto san am seo, agus bhí sé socair aige go gcasfaí an bheirt ar a chéile sa chathair sin. Ar an chéad lá de Mhárta, d'fhág an bheirt sagart Toronto ar a dturas chúig lá go Vancouver ar an chósta thiar. Dúirt Fraser gur leor cúig cheint le leanbh Síneach a cheannach, agus mar sin de nár cheart dóibh barraíocht a ithe ar an traein—bhí Éamann ag foghlaim as déis a chéile. Bhí gach ní eile fágtha ina dhiaidh aige anois, dar leis: an garraí cabáiste i gClódach agus na coirceoga agus na bláthanna le luí gréine; an cat beag ina luí ar an bhóthar; an scrúdú sinsir i gColáiste Bharra; focail easpag Chorcaí ag rá " Ní bheidh sibh de dhíth orm go cionn tamaill "; an Paidrín Naofa agus an dá ghlao sin ar an Luan. . . . Uilig mar gheall ar an fhear ard géarshúileach seo a bhí sa charráiste leis. Nuair a bhain siad Vancouver amach bhí na díslí caite, agus ní raibh le déanamh ach a aghaidh a thabhairt siar agus a bheannacht a scaoileadh leis an litir sin a chuir sé i mbosca an phoist i dToronto.*

Bhí a mhuintir ina gcónaí i gClódach anois, agus iad rud beag imníoch cionn is nach dtáinig aon litir ó Éamann le tamall. Maidin amháin i ndeireadh an Mhárta tháinig an scéala, nuair a sháigh fear an phoist an litir a raibh an stampa coimhthíoch uirthi isteach faoin doras cúil. Bhí Cáit ag coinneáil tí dá máthair, agus nuair a chuala sí an chéim taobh thiar den teach rith sí go dtí an

* Nuair a bhí sé ina sheanfhear dúirt sé gur i Honolulu a chuir sé an litir sa phost, ach is cosúil gur mheath a chuimhne air. Leoga, b'fhearr leis a litir féin a bheith ag a mháthair roimh litir éigin eile as Brooklyn. Dúirt sé lena mháthair i 1924: " I could feel the weight of it in my pocket on the train."

doras, rug greim ar an litir agus chuaigh ar ais go dtí an seomra leapa a raibh a máthair ann. D'iarr a máthair uirthi coinneal a lasadh. Chonaic Cáit í ag oscailt na litreach agus ag tosú á léamh. Ní raibh ach cúpla líne léite amach aici nuair a thit an litir as a lámha, agus thit sí féin siar ar an cheannadhairt mar thiocfadh meadhrán ina ceann. Chuala Cáit í ag rá: " Íosfaidh na mictíre é," agus an dá dheoir mhóra ag sileadh léi. I gcionn scaithimh chuala sí í ag rá i gcogar:

" Sea, is toil liom é. A Cháit, chonaic mé an Mhaighdean Mhuire. Chuaigh sí trasna ansin idir mé féin is an tsíleáil. Bhí cineál de cheo gorm ina timpeall agus í ag mionghháire anuas liom."

Ní fhaca Cáit aon rud. Níor léigh a máthair an chuid eile den litir go ceann tamaill ina dhiaidh sin. Blianta níos faide anonn insíodh d'Éamann an rud a dúirt a mháthair an mhaidin sin, agus tháinig aoibh bheag air, mar a thagann ar na Gaeil agus iad ag breathnú siar ar a muintir féin ina n-aigne. Dúirt sé:

" Creidim thú, a mháthair."

AN ÁIT IS FEARR IONAD

BHÍ an stoirm chomh fíochmhar, agus an S.S. Empress of India ag fágáil an chalafoirt, gurbh éigean di filleadh dhá uair sular chuir sí chun na farraige. Bhí siad i lár na mara móire nuair a d'inis an tAthair Fraser dá chompánach go raibh cumann náisiúnta misinéirí bunaithe ag easpaig na Stát Aontaithe.

" Dá n-insínn sin duit níos luaithe, b'fhéidir nach mbeifeá anseo inniu liom. Ach is cuma. Lá éigin fillfidh tú agus cuirfidh tú féin cumann mar sin ar bun. Diomaite dínn féin, a Éamainn, níl ach ceathrar sagart sa tSín go léir a bhfuil Béarla acu. In Éirinn bhí mise chomh coimthíoch le fear na gealaí, ach beidh scéal eile ann ar ball. Beidh leoga. Anois cad é faoi na fréamhacha Síneacha seo ? Tá dhá chéad is ceithre cinn déag acu i dteanga na Síne, tá a fhios agat."

Níor chuir an tAthair Fraser aon am sa dul amú. Chomh maith le teanga na Síne bhí a lán rudaí aisteacha eile le foghlaim ag a chompánach. De réir cosúlachta, bhí beagnach gach aon ní bunoscionn sa tSín. Rinneadh an compás leis an tsaighead dhubh i dtreo an deiscirt, in áit an tuaiscirt; in áit leabhair a léamh cothrománach ó chlé go deis, léití iad go hingearach ó dheis go clé; thosaítí ar thráth bia leis an mhilseog agus chríochnaítí leis an anraith; ní chaití éide dubh ach éide bán in ómós na marbh; agus nuair a théití ar mhuin capaill ba ar an taobh dheas é. Ag bord shuíodh an t-aoi ar clé; agus, de réir Fraser, thugtaí an tsnáthaid go dtí an snáth, gan a fhios acu go dtugadh an chuid eile den domhan an snáth go dtí an tsnáthaid ! Is duine glic an diabhal, i gCeanada nó in Éirinn, ach diúlach as cuimse amaideach é sa tSín, mar ní féidir leis siúl ach i ndronlíne, agus is leor scálán os comhair an dorais lena choinneáil amuigh ! John Chinaman an t-ainm a thugadh an fear bán ar an tSíneach de ghnáth. Ní fhaca seisean iontu ach dream searbhóntaí, mar a bheadh aisteoirí balbha as mím éigin, ach chonaic an misinéir iontu anamacha síoraí a bhí as cuimse luachmhar. De réir na ngnóthadóirí Francacha is Sasanacha a bhí ina gcónaí sna Concessions,* ní raibh i

---

* An pháirt den chathair Shíneach a bhí faoi smacht na gcoimhthíoch.

John Chinaman ach cúl taca idir chrainn an risceá; abhar scéalta agus grinn le gáire a bhaint as a muintir sa bhaile, nuair a d'fhill-feadh siad faoi dheireadh lena lón éadála agus bheadh ag tabhairt aire dá n-aenna i measc na chinoiseries sa teach i Surrey nó ar an fheirm ag Périgord. I súile an mhisinéara, áfach, rinneadh John Chinaman i ndeilbh Dé. Nuair a chífeadh an Gealbhánach an marc sin ón bhambú ar a ghualainn, bheadh air cuimhniú go raibh níos mó anseo ná brandáil na foighne. Bheadh scáil na Croise os comhair a shúi.

Meán Aibreáin a bhí ann nuair a bhain siad Shanghai amach. Ní raibh oiread agus gluaisteán amháin ar na sráideanna, agus ní raibh sa chathair mhór atá ann inniu ach garraí glasraí. Chuir siad an bagáiste ar thrucail, agus d'imigh an searbhónta aosta ina rith i dtreo procure* na n-aithreacha Uinseannacha Francacha. Ón áit sin fuair siad leapacha ar an traein go Hangchow, turas céad is fiche míle trí cheantar scothdhonn a raibh cuid de na páirceanna faoi uisce ann—agus déanamh dragan ar dhíonta na dtithe adóibe.

Thuas sa dúiche ar tugadh Tsufupong uirthi, bhí an tEaspag Faveau as Chekiang Thiar ag teagasc an ranga cóineartaithe, agus chuir an tAthair Fraser an fear nua in aithne dó. Chuaigh an triúr acu chun an chléirthí agus fuair béile mór macaróin Shínigh, mar go raibh an Aoine ann. Ní raibh aon Bhéarla ag an easpag, agus labhair siad sa Fhraincis agus sa Laidin. D'ith siad an béile le cipíní—ba mhillteanach an obair í do fhear as Baile Níos! Luigh siad an oíche sin ar na cláracha. Ní hionadh gur scríobh Éamann tamall ina dhiaidh:

" Bhí mé cosúil le gasúr beag i scoil úr agus an dubhuaigneas orm."

An lá arna mhárach d'fhill an bheirt acu ar Hangchow, príomh-oifig an mhisin. Ansin d'fhág Fraser slán ag a chompánach agus d'imigh go dtí a áit féin i Ningpo. Uaidh sin amach ní fhaca siad a chéile ach go hannamh. Níos faide anonn bhunaigh Fraser an Cumann misinéirí Ceandacha a dtugtar Scarboro Bluffs air, ach sin scéal eile. Ní bhaineann an Ceanadach ard feasta leis an scéal seo.

Ba í an chéad obair a bhí ar an Athair Ó Gealbháin sa tSín a bheith ina rúnaí ag an Mhonsignor Faveau. Thosaigh sé a dhéan-

---

* Procure: Teach a bhíonn ag misean mar shórt " base camp."

amh staidéir ar an teanga, faoi threoir sagairt Shínigh darbh ainm an tAthair Luke Ting, C.M. I gcionn na leathbliana bhí a dhóthain eolais aige le dul isteach ina chéad pharóiste.

Ansin chuir sé aithne ar staid na hEaglaise sa tSín. Bhí an uair as cuimse cinniúnach. B'iad na misinéirí Francacha a bhí ar thús cadhnaíochta sa ghluaiseacht le fada an lá—féach an oiread "Christianities," mar a thugadh siad ar na pobail Chríostaí, a bhí ar fud na tíre. Ach de réir cosúlachta, bhí an t-athrú ag teacht. Ar an chéad dul síos, bhí na pobail Chríostaí ag leathadh agus ní raibh líon na misinéirí ag méadú dá réir. Tharla go raibh rialtas frithchléireach i bPáras le tamall anuas, agus rinne sin damáiste mór do na cléirscoileanna. Rud eile, nuair a bhris an chéad Chogadh Mór amach chuaigh an scéal chun donais, mar b'iad na tíortha a bhí sa chogadh na tíortha céanna a bhí ag cur misinéirí chun na Síne: an Ghearmáin, an Fhrainc, an Bheilg agus an Iodáil.

Chomh maith leis sin, bhí mórchlaochlú polaitíochta sa tSín féin. A1 an 9ú Deireadh Fómhair, 1911, tráth a bhí Éamann i mBrooklyn, pléascadh buama i Hankow a chuir deireadh leis an tseanreacht. Leis an phléascadh sin bascadh an seanríora Manchúach a bhí ann le trí chéad bliain, agus ba léir don tsaol go raibh an dragan ag éirí as a chodladh. Bhí scoláire óg i Changsha, príomhchathair Hunan, ag an am agus cheiliúir seisean an ócáid go siombalach nuair a bhain sé anuas an trilseán de chomhartha an tseanríora. Mao Tse Tung ab ainm dó. Cúpla lá i ndiaidh an phléasctha sin, cuireadh ruaig ar na Manchúaigh as Wuhan,* agus glaodh ar thaoiseach óg darbh ainm San Yat Sen filleadh as Meiriceá le bheith ina uachtarán sealadach ar Phoblacht na Síne.

B'iad na hintleachtóirí a thug an lánchumhacht sin do Sun Yat Sen, agus is é an plean a bhí acu parlaimint dhaonlathach a bhunú ar an mhodh iartharach. Bhí Sun sásta sin a dhéanamh de réir a chéile, ach bhí deifir an domhain ar a lucht leanúna agus bunaíodh an Kuomintang (Páirtí Náisiúnta an Phobail) faoin Ghinearál Yuan Shik Kai. D'fhág sin go raibh tír na Síne faoi smacht tiarnaí cogaidh a bhí chomh holc leis na Manchúaigh féin, agus nach raibh lárchumhacht láidir cheannasach ar bith sa tír.

Is iomaí litir a scríobh an Gealbhánach abhaile ag cur síos ar

---

* Ainm na gcomhchathracha Hankow, Wuchang is Hanyang le chéile.

staid na Síne. Bhí bua amháin aige, go scríobhadh sé an cineál litreach ab fhearr a d'fheil don té a léifeadh í. Gan mhoill bhí mic léinn Fhearann Phiarais i gCorcaigh ag léamh faoina chuid eachtraí. Bhí Siúracha na Toirbhirte i nDroichead na Bandan ag léamh:

" Is mór an mhaith a dhéanfaidh focal beag i gcluais na bpáistí. Cé aige a bhfuil a fhios cad é a thiocfaidh as ? Tá mé féin cinnte go dtiocfadh a lán Éireannach chun na Síne dá mbeadh fios acu ar staid nó ar riachtanas na tíre. Ba mhaith liom spéis gach siúire agus múinteora in Éirinn a mhúscailt, mar tuigim go breá go bhfuil páistí na hÉireann ar a gcomhairle acu. Béarfaidh an t-aos óg an scéal abhaile leo agus rachaidh an dea-obair ar aghaidh."

Scríobh sé litreacha eile chuig na hollúna agus na mic léinn i Má Nuat, i Mungairit, in All Hallows agus i nDurlas. Anois is arís scríobh sé go greannmhar ar a chuid eachtraí, dála an ghlaoch ola a bhí aige, turas fiche míle thar pháirceanna ríse agus aibhneacha a raibh tuile iontu. Bhí air breab a thabhairt don tseanbhádóir a thug anonn é, agus briseadh an bád ina smidiríní ar an taobh thall. B'éigean dó an sútán a bhaint de agus an láib a scríobadh de agus a chuid giosán a ní san abhainn.

" Agus tháinig an seanbhádóir ina rith i mo dhiaidh, ach ní raibh sé ábalta breith ar an rebel as Corcaigh. Chuaigh mé síos ansin agus dhearg mo phíopa, agus thosaigh a fheadaíl Garráin na Blárnan. . . . Ó, dá dtiocfadh cuid agaibh anseo agus cúl a thabhairt ar an bhaile, ar thír agus ar chairde, ar son Dé. . . . Nach bhfuil creideamh chomh láidir againne is atá ag muintir na Fraince, na hIodáile, na Beilge. . . . Iarraim an achainí seo i ngach uile Aifreann: go gcuirfidh Dia chugainn mic na hÉireann naofa. . . Níor theip ar Éirinn riamh nuair a ghlaoigh Dia uirthi."

Cuirtear spéis ar leith i litir amháin a scríobh sé i dtrátha an ama seo, mar den chéad uair go dtug sé leid gur cheart coláiste náisiúnta misinéireachta le haghaidh na Síne a bhunú in Éirinn. Scríobh sé an litir seo chuig ollamh óg i gColáiste Phádraig, Má Nuat:

An Misean Caitliceach,,
Hangchow, an tSín.
20 Iúil, 1913.

A Athair urr., a chara,

Bhí áthas an domhain orm nuair a chonaic mé d'ainm ar bharr liosta na sagart óg a thug gealltanas chomh lách sin dúinn cuidiú le hullmhú sagart dúchais don mhisean sa tSín. Ní chreidfeá choíche an lúcháir atá orm go bhfuil spéis mhór ag ollúna agus mic léinn Mhá Nuat in obair na misean agus go bhfuil fonn orthu cuidiú linn anseo sa tSín.

" Is cosúil gur mhaith leat eolas a fháil faoi staid na hEaglaise anseo sa tSín. Sa chúige seo, ar aon chuma, táimid ag dul ar aghaidh go maith. Sa bhiocáireacht seo tá tuairim ar aon mhíle dhéag Caitliceach agus dhá mhíle caiticiúmanach. Tá na Caitilicigh an-chráifeach agus dílis don chreideamh, agus glacann cuid mhór acu Comaoineach gach lá. Tá siad ómósach freisin, agus bíonn fonn orthu de shíor cuidiú leis an sagart ar gach slí agus a chuid ualaí a laghdú chomh maith agus is féidir leo. Bhí mé féin amuigh ar an mhisean ar feadh dhá mhí, agus gach áit ar fud na dúiche thug mé faoi deara an cineáltas céanna seo, agus an meas a bhí acu ar gach ní, dá laghad, a rinneadh dóibh. Ní saol an mhadra bháin é, ach mar sin féin tá tréan sóláis ann.

" Tá an bharúil ag a lán daoine gur cine míshibhialta barbartha na Sínigh, ach ní fíor sin in aon chor. Cinnte, is fada buí óna chéile sibhialtachtaí na Síne agus na hEorpa, agus ar dtús feictear duit gurb aisteach amach a gcuid béasa, a dteanga is a bhfeisteas, ach i gcionn tamaill déanann tú dearmad de seo agus bíonn grá is meas agat ar do phobal. Is iad na Caitlicigh amháin atá mé a mhaíomh anois, mar níl mórán eolais agam ar na págánaigh. Tig liom a rá go bhfuil siad an-mhúinte ar fad. Rinneamar ár scíth anois is arís in aice le tithe na bpágánach, agus thug siad cuireadh dúinn i gcónaí teacht isteach le cupán tae a ól.

" Ní féidir libh aon ní a fháil amach faoi mhuintir na Síne ó na leabhair. Léigh mé féin cuid acu agus chaith mé uaim iad. Sílim gur scríobhadh iad chun airgead a ghnóthú agus iúl na hEorpa a tharraingt orthu, agus gurb é easnamh na fírinne an locht is mó atá orthu.

" Aon duine ar maith leis oibriú i measc na Síneach, ba cheart dó an craiceann díomasach Eorpach sin a bhaint de ar dtús. Aithníonn na Sínigh an tréith sin go furasta. Is doiligh a chreidiúint chomh dílis agus atá siad don sagart Eorpach a bhíonn ina cheann maith dóibh. Nuair a labhraíonn siad le sagart bíonn cuma urramach orthu, ach má fheictear dóibh go bhfuil fíormheas ag an sagart orthu, agus go ndearcann sé orthu mar chomhleacaí dó féin, bíonn áthas an domhain orthu, go háirithe má dhéantar go poiblí é. Caithfidh mé féin a admháil gur pobal soghrách iad ar fad, rud nach raibh mé ag súil leis.

" Beidh ceist agat orm a bhíodh ag cur as dom féin sula dtáinig mé chun na Síne ' Cad chuige nach bhfuil níos mó acu ag teacht isteach san Eaglais ? Cad chuige nach bhfuil ag iompú ach míle sa bhliain, i gcúige a bhfuil aon mhilliún déag páganach inti ? '

" Cead agam a rá ar dtús nach bhfuil maith ar bith a bheith ag seanmóireacht anseo sna sráideanna, nó go poiblí. Fuarthas amach go raibh sin gan tairbhe. Leoga, b'fhurasta slua mór a chruinniú i gcathair ar bith sa tSín, ach taobh amuigh de sin níorbh aon tairbhe é. De ghnách, tagann siad go teach an phobail ar dtús leis na seanmóirí a chluinsint, agus ansin éiríonn siad fiosrach faoin Eaglais, go dtí sa deireadh go n-iarrann siad dul isteach sa rang caiticeasma. Amanna iompaíonn scata beag as sráidbhaile amháin, agus i gceann tamaill bíonn an sráidbhaile go hiomlán ag leanúint a loirg. Is annamh a thiteann sin amach, áfach. Tagann an chuid is mó acu isteach san Eaglais de bharr dea-bheatha is dea-shampla na gCaitliceach.

" Ach ní féidir staid mhaith a chur ar shaol na gCaitliceach anseo, ná cluain a chur ar phágánaigh mura mbíonn sagart ann. Gan sin, ní bhíonn aon Aifreann ann, aon tseanmóir ná deasghnátha. Ar ndóigh, níl mórán ann a mheallfadh aon duine, seachas iadsan atá ina gCaitlicigh cheana féin agus a thagann le chéile gach Domhnach chun an paidrín a rá. Téann an sagart chun na n-áiteanna seo cúpla uair sa bhliain ar a mhéad, agus an uair sin bíonn sé gnóthach go leor ag freastal ar a thréad féin agus gan dul i gcionn propaganda. Ní bhíonn an t-am aige. Feiceann tú mar sin nach bhfuil an teach pobail sin ag déanamh mórán maith. Cad chuige ? Cionn is nach bhfuil sagart ann.

" Tá an bhiocáireacht seo beagnach chomh mór le hÉirinn, agus nílimid ach fiche duine ann. Tá aon mhilliún déag páganach ann.

Is furasta a fheiceáil gur suarach i gceart an méid sagart atá ann, agus rud eile, nuair a smaoineann tú go bhfuil na Caitlicigh anseo scaipthe ar fud dúiche ábhalmhóire, agus go bhfuil an modh taistil as cuimse olc—nó, más fearr leat é, as cuimse maith, mar ní foláir duit siúl—tuigfidh tú cuid de na deacrachtaí atá romhainn. A thuilleadh sagart! Is é sin brí gach scéil.

" An chéad cheist eile: ' An bhfuil sibh ag súil le sagairt ón Mhór-Roinn? ' Tá, agus níl. Tá a fhios agat gurb iad na Francaigh a chuir tromlach na misinéirí anseo san am atá thart. Ach tá tithe na nOrd sin druidte anois, agus níl cead ag na Rialtaigh teagasc sna cléirscoileanna, i gcaoi go mbeidh uimhir na Rialtach ag dul i laghad as seo amach. Níl teach ar bith oscailte ag na Lazarists anois ach an teach dúchais i bPáras, agus teach eile i nDax in aice le Bordeaux. Bhí a lán cléirscoileanna deoiseacha acusan san am a chuaigh thart, agus b'astu a fuair siad an mhórchuid de na sagairt. Ach níl cead acu teagasc ansin anois, agus tá siad ag laghdú go tapaidh. Tá an scéal céanna ag na hOird eile. Léimid go minic nach fada go mbiseoidh an Fhrainc i ndiaidh an bhuille seo, ach fágaimis sin mar atá sé. Deir na daoine a bhfuil eolas agus grá ar an Fhrainc acu nach bhfuil ach cúig mhilliún amach as na sé mhilliún tríochad duine atá inti ar fiú Caitlicigh a thabhairt orthu. Bíonn na tithe pobail líonta go measartha i bPáras agus sna cathracha móra, ach, más iontach le rá é, bíonn siad beagnach folamh faoin tuaith. I Shanghai anseo, tógadh Eaglais Naomh Iósaf don phobal Francach, agus anois is iad na Meiriceánaigh agus na hÉireannaigh is mó a bhíonn ann. Ní bhíonn níos mó na leathdhosaen Francach ag dul ann.

" Tá muintir Mheiriceá ag déanamh a ndíchill dá gcléirscoil Misean Coigríoch, agus beidh an chuid is mó de na sagairt ag teacht anseo chun na Síne. Cad é atá Éire ag brath a dhéanamh? Mar a rinne na Meiriceánaigh? Tá obair anseo do mhisinéirí a bhfuil Béarla acu, nach dtig le haon duine eile a dhéanamh. Creidim féin go dtiocfadh le hÉirinn iontais a dhéanamh anseo i measc na bpágánach ach cur chun na hoibre.

Do bhuanchara i gCríost,

Éamann S. Ó Gealbháin."

Mhair sé ag scríobh leis, agus bhí gach litir mar a bheadh glór trumpa chun catha ann. Sna laethanta sin roimh Éirí Amach 1916 bhí macallaí ag múscailt arís in Éirinn nár chualathas ó na cianta: Colmán i Luxeuil agus i Bobbio, Gall i measc na nAlp, Fursa cois na Mairne, Cillín agus Fearghal agus mórghluaiseacht an Ré Órga. Agus bhí macallaí eile ag múscailt fosta sa tír, agus trumpa eile ag fuaimniú san fhuil. Fiú amháin sna cléirscoileanna mar Mhá Nuat agus All Hallows, bhí paimfléid á léamh ag na mic léinn a mhúscail seanbhrionglóidí. Scríobh an Piarsach i 'dTaibhsí': " Ba ghránna is ba náireach faillí na giniúna roimhe seo, agus níor éirigh aon fhear as an ghiniúint sin le rud niamhrach a rá nó a dhéanamh ionas go maithfí iad. . ." Agus chomh maith leis seo bhí litreacha ag teacht ón bhaile agus scéalta aisteacha faoi imeachtaí ar an taobh eile de bhallaí na gcoláistí: stailceanna i mBaile Átha Cliath, ceannairc sa Churrach agus smuigléireacht ghunnaí i Latharna. Bhí an seanmheon Fíníneach á athbhreith arís san aos óg, i ndiaidh a bheith marbh sna seanfhir, agus scríobh Tom Ó Cléirigh ag cuimhniú ar a óige féin: " Is breá an rud a bheith beo in Éirinn ar na saolta seo." Dúirt an Piarsach:

" D'éirigh leis an phobal ársa seo a óige a athnuachan. . . Tá an óige againn inniu mar a bhí acu fadó nuair ab ionann óige agus gaiscíocht—ionann freisin óg agus óglach . . . agus táimid ag iarraidh rudaí dodhéanta a dhéanamh, mar tuigimid gurb iad na rudaí dodhéanta is fiú a dhéanamh."

Ar ndóigh bhí beagán sa difear idir litreacha an Phiarsaigh agus cinn an Ghealbhánaigh. Chomh maith le scríobh chuig sagairt, mná rialta agus mic léinn, ba ghnách leis freisin scríobh abhaile go féiltiúil, agus b'fhollas óna litreacha nach raibh dearmad déanta aige ar an tseanáit fós. Amanna scríobhadh sé go fileata, tréan, ar dhóigh a ghoilleadh go croí ar an teaghlach beag i gClódach agus iad ag léamh " an litir ó Éamann ":

" Tá an choinneal seo beagnach caite agus tá na Sínigh ag monabar ina gcodladh; tá na hulchabháin ag scréachaíl amuigh agus cluinim an ghaoth ag seinm Réicí Mhala i measc na gcrann bambú. Mar sin féin, seo anseo mé i seomra beag mar a bheinn sa bhaile i gClódach, ag scríobh an nóta seo ar an tábla sa chistin. . . I súil na cuimhne níl aon athrú ar an bhaile sin ó chonaic mé é tá sé bliana ó shin."

I MÚINEADH

SÉAMAS Ó CONAILL as Ard-deoise Thuama an chéad mhac léinn i Má Nuat a thairg seirbhís. Shocraigh sé a intinn go cinnte i ndeireadh na bliana 1912, de bharr chuairt Fraser, agus fuair sé cead ón ardeaspag, an Dochtúir Ó hÉalaí, a chuid staidéir a chríochnú i Má Nuat, cé go mbeadh sé ag dul chun na Síne. Sa tsamhradh 1913 chuir sé an dea-scéala sin chuig an Athair Ó Gealbháin.

Thall sa tSín bhí an Corcaíoch óg ag scríobh leis agus ag guí Dé le hiomlán a anama. " Aréir," scríobh sé, " rinne mé Uair Naofa go dtiocfadh tuilleadh sagart aniar. Scríobh mé an impí seo amach ar blúire páipéir agus sháigh isteach é faoi éadach na haltóra." Chuaigh cúpla mí thart agus tháinig scéala go raibh fear eile ag teacht ó Mhá Nuat, mar a bhí, Seosamh Ó Laoire. Trí seachtaine agus tháinig scéala fir eile, an tAthair Pádraig Ó Raghallaigh as fairche na Mí, sagart a bhí thar an tríocha. I mí Eanáir, 1915, bhí a fhios ag an Athair Ó Gealbháin go raibh cúigear aige i Mungairit, beirt in All Hallows, agus fear amháin i nDurlas. Bhíodh fear de na hoidí spioradálta i Má Nuat, an tAthair Tony Ó Baoill, ag síorchaint ar na misin sa tSín, agus thíos i gColáiste Fhearann Phiarais i gCorcaigh bhí roinnt buachaillí ar an phort céanna. Bhí a fhios ag an Ghealbhánach go mbeadh íobairtí le déanamh i ngach uile chás. Tá an méid sin soiléir as litir a scríobh sé chuig Seosamh Ó Laoire i mí na Samhna, 1914:

" Is dócha gurb é mo theacht anseo is cúis le do chinneadh féin. Mar an gcéanna ag na fir eile, b'fhéidir. Agus b'fhéidir go bhfuil daoine eile ann, mar tú féin, atá ag smaoineamh faoi na misin sa tSín, ach nach labhraíonn le haon duine faoi. Ní bheadh a fhios agat. Déanfaidh do chinneadh féin brú mór chun cinn ar an obair; beidh Séamas Ó Conaill ag teacht anseo roinnt blianta i do dhiaidh agus daoine eile nach bhfuil i Má Nuat. Cluinfear an scéala sna cléirscoileanna agus rachaidh an obair ar aghaidh trí dhea-sampla níos mó ná trí sheanmóireacht. Creidim féin nach bhfuil aon tír ar dhroim an domhain a d'fhéadfadh níos mó a dhéanamh do na misin ná Éire. Síleann daoine eile seachas Éireannaigh an rud céanna. Ach an bhfuil a fhios agat, is deacair i gceart dúinne fios na gcúrsaí bheith againn, fiú amháin cén bealach a rachaimid. Tá sé níos fusa agatsa ná a bhí agamsa. Déanfaidh tusa níos fusa é don chéad dream eile; agus maidir liom féin de, níl amhras ar bith orm nó leanfaidh daoine eile thú.

" Dá mbeadh an bharúil agam go ngoillfeadh an tSín ort, déarfainn go díreach leat gan teacht. Ach creidim go mbeidh tú sona séanmhar anseo, go ndéanfaidh tú obair mhaith, agus go mbeidh toradh ar do thuras nach léir inniu."

San am seo bhí lucht an rialtais sa nua-Shín—más cóir an t-ainm a lua leo—ar bior chun teacht suas le tíortha eile an domhain, go háirithe Sasana agus Meiriceá. Fuair Chiang Kai Shek, taoiseach an pháirtí nua, an Kuomintang, a chuid oideachais i gcoláiste Meitidisteach, agus bhí blas Mheiriceá ar an Bhéarla a bhí aige. Bhí beirt treoraithe ann anois, Yuan ag brionglóid ar ríchathaoir agus ar impireacht, agus Chiang ag smaoineamh ar réabhlóid agus ar dhúiseacht. Nuair a fógraíodh an Cogadh Mór in Lúnasa 1914, ní raibh an t-am nó an t-airgead ag na Cumhachtaí Móra le bacadh leis an tSín, agus ar an phointe tháinig saighdiúirí na Seapáine i dtír. Chuir seo deireadh le brionglóid Yuan agus fuair sé bás croíbhriste sa bhliain 1916. Le linn na naoi mbliana a tháinig ina dhiaidh ní ceart a rá gur Stát a bhí i dtír na Síne. Bhí cuid den tír i seilbh na Seapánach, mar dhea go raibh siad ag coinneáil súile ar na Gearmánaigh, agus bhí " rialtas " eile i gCanton faoi Sun Yat Sen, agus leoga rialtais eile anseo is ansiúd. I bPeking thagadh athrú rialtais gach mí nó mar sin, de réir thoil na dtiarnaí cogaidh, agus bhíodh racáin bheaga is mhóra thall agus abhus. Ba bhreá an spórt é.

Idir an dá linn, bhí bunfhéasóg mhaith le feiceáil ar aghaidh an Athar Uí Ghealbháin—comhartha go raibh sé ag éirí clóite lena shaol. Bhí sé ag teacht isteach ar an teanga go maith agus in ann faoistiní agus an Teagasc Críostaí a mhúineadh i gcanúint na dúiche. Bhíodh sé ar a sháimhín suilt i gcónaí agus é ina shuí i gcuideachta na ndaoine as na sráidbhailte. Dheargadh sé a phíopa agus labhraíodh leo faoi Éirinn, faoi Mheiriceá, ach thar gach ní faoi Dhia, faoin Ionchollú agus faoin Eaglais. Is iomaí ceist a cuireadh air faoina theaghlach agus faoina mháthair, agus ar airigh siad uathu sa bhaile é. Nuair a scríobhadh sé abhaile ba ghnách leis a rá:

" Creidim anois gur Éireannach Meiriceánach Síneach Francach mé."

Ach bhí níos mó le déanamh aige sa tSín ná suí i measc na gcrann maoildeirge ag caitheamh a phíopa tráthnóna. Staid na mban rud amháin a chuir trua air, mar ní raibh iontu ach sclábhaithe. De réir ghnás na tíre cheanglaítí a gcosa chomh teann sin nárbh fhéidir leo siúl ach go hanacair. D'fhaigheadh cuid mhór acu bás go hóg de dhíobháil leigheasanna. B'ualach róthrom leanbháin bhaineanna, agus amanna bháití iad i ndiaidh a saolaithe. Bhí seans níos fearr ag gasúr, nó b'fhéidir go bhfásfadh seisean aníos agus go mbeadh ina chuidiú ag an teaghlach, mura bhfaigheadh gorta nó tuilte greim air roimhe sin. Chonaic an sagart óg na máithreacha ag fáil bháis leis an ocras, agus an leanbh craosach ag alpadh na gcíoch seargtha. Chonaic sé gurbh í an phágánacht a chuir an nimh sa nadúr seo a rinneadh i ndeilbh Dé, agus gnr phobal iontach geanúil iad taobh thiar de dheasghnátha na cúirtéise agus na béasaíochta. Bhí a fhios aige go maith go dtugtaí " madraí reatha an chomhthígh " ar na Caitlicigh. Mar nach raibh sé ábalta freastal orthu ach uair amháin sa mhí nó mar sin, bhí sé in amhras go minic go mbíodh dia beag na cistine ar ais ina áit féin os cionn an tsoirn sula dtéadh an sagart amach thar an choirnéal i ndiaidh a chuairte. Ach ar dhóigh amháin ba chuma. Pobal Dé a bhí iontu i ndiaidh an iomláin, agus b'obair Dé a bheith ina seirbhís. Má bhí sé tromchroíoch anois is arís ba i nganfhios do na misinéirí eile é, mar go minic chluineadh siad guth aisteach ag teacht óna sheomra, ag ceol faoi áiteanna a raibh ainmneacha dothuigthe orthu:

The tramp of the trooper is heard at Macroom,
The soldiers of Cromwell are spared from Clonmel . . .

A leithéid de lá is a bhí acu nuair a bhain na sagairt Ó Laoire agus Ó Raghallaigh Shanghai amach! Mí na Nollag a bhí ann, 1915. Tháinig an bheirt anall chuig Éamann gur fhiafraigh de i bhFraincis bhriste an raibh aithne aige ar an Athair Ó Gealbháin! Ba cheol éisteacht le Joe Ó Laoire ansin ag magadh faoina fhéasóg i gcanúint cheolmhar Chorcaí!

Níorbh fhada go raibh an tAthair Joe ag croí na ceiste a bhí ag cur as don Athair Ó Gealbháin: misean don tSín a bhunú in Éirinn.

" Tá an scéal seo cíortha againn," ar seisean, " le fada fada, agus tá an bheirt againn cinnte go bhfuil sé d'fhiachaibh ortsa dul abhaile agus an smaoineamh a leathnú. Mura ndéana tusa é, ní dhéanfar choíche é."

" Níl ionam ach chub ! "* d'fhreagair an Gealbhánach.

" Níl ionam ach bloody chub ! Cé aige in Éirinn a bhfuil aithne ormsa ? Rinneadh sagart díom i Meitheamh agus cúpla mí ina dhiaidh sin d'imigh mé go Brooklyn—agus tharla sin sé bliana ó shin. Níl a fhios ag easpaig na hÉireann nach chub mé go fóill. Cibé rud a dhéanfar, ní dhéanfaidh mise é. Fear mór éigin ' is fearr clú is cáil ' atá de dhíth orainn—déanaigí dearmad ar an chub seo."

Bhain an triúr acu fúthu i Shanghai ar feadh cúpla lá, agus ansin chuaigh siad ar an traein go Hangchow. Ar feadh an turais lean siad leis an argóint, ach ní raibh maith dóibh ann.

" Is é Má Nuat croí na hEaglaise in Éirinn," a deireadh an Gealbhánach. " Sagart as Má Nuat atá ag teastáil, ní sagart Síneach Francach Meiriceánach as Contae Chorcaí."

Ní raibh neart air. Nuair a bhain siad Hangchow amach scar siad óna chéile. Chuaigh an tAthair Ó Laoire go Kashing ar an chósta agus an bheirt eile go Chuchow—turas seachtaine isteach sa tír—in aice le teorainn chúige Kiangsí. Cé go raibh mórán mílte eatarthu is iomaí litir a scríobh siad chuig a chéile faoi cheist na hÉireann. Smaoin siad ar an Athair Fraser, ach ba é an bharúil a bhí acu nach n-éireodh leis anois ach oiread leis an am eile a bhí sé in Éirinn. Thug an tAthair Ó Laoire ainm sagairt cháiliúil Éireannaigh don Athair Ó Gealbháin, ag rá go ndéanfadh seisean an beart—agus thosaigh an Gealbhánach ar litir mhór fhada chuig an tsagart seo. Nuair a bhí tuairim is tríocha leathanach mionscríofa aige, stad sé go tobann agus stróic iad ina mionbhlúirí. Ní féidir an obair seo a dhéanamh le litir, dar leis. Ní féidir í a dhéanamh ar dhóigh ar bith ach fear maith a chur abhaile, fear a thuigeas an cheist. Ach nach mar sin a thosaigh siad ar an traein ? De réir an Athar Uí Laoire agus a chara, ní raibh ach fear amháin a bheadh oiriúnach don obair, an Chub é féin; agus de réir an Chub ní raibh sé réidh go leor, aosta go leor, naofa go leor, cliste go leor—níor leor ar chor ar bith é !

---

* An leasainm i Má Nuat ar mhac léinn den chéad bhliain.

Chuaigh an t-am thart mar sin go dtí lá amháin san earrach, 1916, nuair a fuair an tAthair Ó Laoire litir ón Athair Ó Gealbháin, ina ndúirt sé go raibh neascóid mhór ar chúl a mhuiníl a bhí ag tabhairt a lán trioblóide dó agus nach raibh biseach ag teacht uirthi. Tharla go raibh siúr Ostarach ag obair sa dílleachtlann i gKashing san am, agus go raibh sí ina banaltra ar fheabhas. Mhol an tAthair Ó Laoire don Ghealbhánach teacht láithreach go Kashing—rud a rinne sé. Nuair a bhain an bhanaltra an bindealán de, agus chonaic sí an chneá mhór mhíofar, orlach go leith trasna, líonta d'angadh, tháinig uafás uirthi. Ba léir go raibh an galrú go domhain ann, in aice le cnámh a dhroma. Ba chomhartha an fáinne dearg-ghorm thart ar an chneá go raibh sí fíor-nimhneach. Ach níor lig an sagart air, nuair a bhí an tsiúr á cóiriú, go raibh goimh ar bith sa chneá. I gceann coicíse nó mar sin bhí sé cneasaithe nach mór. Dúirt an tsiúr leis go raibh sé in ísle brí, go raibh droch-chuma air, agus gur cheart dó an tír a fhágáil ar feadh tamaill.

" Mura ndéana tú sin, beidh misinéir caillte againn."

Ba leor an rabhadh seo. Scríobh sé litir chuig an Mhonsignor Faveau, a uachtarán, agus tugadh cead dó imeacht. Tamall beag ina dhiaidh sin tháinig an tAthair Ó Raghallaigh go Kashing, agus fuair amach go raibh socair ag an Ghealbhánach dul abhaile agus a dhícheall a dhéanamh le gluaiseacht náisiúnta mhiseanach a bhunú agus a spreagadh in Éirinn. Is suimiúil i gceart an dáta a bhí ann: seachtain na Cásca, 1916 !

Léigh siad scéalta an Éirí Amach ar an pháipéar maidine a tháinig cúpla lá mall as Shanghai.

" Cuirfidh seo ár scéimeanna trína chéile," arsa an Gealbhánach.

" B'fhéidir nach bhfuil sé chomh holc sin i ndiaidh an iomláin," arsa an tAthair Ó Raghallaigh. " Bíonn muintir Reuter ar thaobh na Sasanach i gcónaí."

Roinnt laethanta ina dhiaidh sin chuaigh an triúr acu go Shanghai, áit a raibh an Gealbhánach gnóthach ag ullmhú a phas—ceann Briotanach ar ndóigh—agus cáipéisí eile le haghaidh turais. Ag an am seo a tharla an eachtra iomráiteach sin a dtugtar " Gearradh an Bhíobla " uirthi. Tá insintí éagsúla ar an eachtra seo, agus níl siad ag teacht le chéile. Ach i ndiaidh an scéal a chíoradh go mion, measaimid go bhfuil an leagan is údarásaí ag an Athair Ó Laoire. Scríobh sé an litir seo a leanas sa bhliain 1958 agus é ina thréadaí ar Phobal an Spioraid Naoimh, San Diego, California:

" Bhíomar ag baint fúinn i bprocure na Lazarists sa Rue Chapsal an lá sin, tá dhá bhliain is daichead ó shin. Cé gurb iomaí cleas a imríonn an chuimhne oım, is iontach go bhfuil an rud seo go grinn os mo chomhair go fóill. Cionn is, b'fhéidir, go raibh sé chomh sonrach tarraingteach sin.

" Chonacthas dom gurbh eagrán aisteach den Leabhar Naofa a bhí ann. Bhí sé aosta, caite, agus cumhdach corr air, óir b' eagrán de luxe é lá den tsaol. Ba leis an Athair Ó Raghallaigh é. Clóbhuaileadh ag Séamas Ó Dubhthaigh agus a Chomhlucht, Baile Átha Cliath, é sa bhliain 1866, agus bhí Imprimatur an Ardeaspaig Pól Ó Cuilín air. Is cuimhin liom go ndúirt mé ag an am go raibh seisean i láthair ag Comhairle na Vatacáine.

" Nuair a chuamar i gcionn an ghearrtha bhí an tAthair Ó Gealbháin agus an tAthair Ó Raghallaigh ar a nglúine ar aghaidh a chéile. Bhí an Bíobla i lámha an Athar Uí Raghallaigh, agus ghearr an Gealbhánach é. Bhí sé socraithe againn cheana féin glacadh leis an chéad véarsa ag barr an leathanaigh chlé mar a bheadh Dia féin ag labhairt linn.

" Véarsa a naoi as an chéad chaibidil de Iósua a bhí ann. Is cuimhin liom go soiléir gur fhan an Gealbhánach ar a ghlúine agus gur léigh sé amach na focail in ard a chinn: ' Misneach agus crógacht fhearúil, sin atá mé a iarraidh; ná bíodh eagla ort agus ná cúlaigh, mar tá Dia, do Thiarna, ag do thaobh cibé áit a dtéann tú.'

" Ní raibh focal ar bith sa tseomra go ceann tamaill, agus ansin d'éirigh an Gealbhánach agus thosaigh sé a shiúl thart ar an urlár, mar ba ghnách leis nuair a bhíodh cruacheist ina intinn. Bhí sé ag cíoradh an scéil, gach focal de. Ansin d'amharc sé ar an leathanach arís, agus an iarraidh seo léigh sé amach arís é os ard. Sílim go ndúirt sé:

" Rachaidh mé, a Pháid, tá m'orduithe agam."

" Sé an chéad rud eile is cuimhin liom gur tharraing mé amach seanléarscáil den tSín. Nuair a bhímis i gKashing, ba ghnách linn bheith ag caint ar áit oiriúnach don mhisean, ach níor shocraíomar riamh é. Anois, bhí sé cinnte faoin phointe seo freisin. " Toghaim Hanyang," ar seisean, " mar bhiocáireacht na sagart Éireannach."

" Ba dána an dúléim é, isteach i gcúige Hupeh, croí na Síne.

" Bhí am luí domhain ann, agus bhí tuirse an tsaoil orainn. Le deireadh a chur ar an scéal dúirt mé go sollúnta leis an Athair Ó Gealbháin: ' Is tusa a chuirfidh Dún Garbháin ar crioth ! '

" Chaith sé a dhá láimh in airde mar bheadh sé scanraithe, agus dúirt go gealgháireach: ' A leithéid de smaoineamh, in am luí thall ! ' . . . Ní rabhamar in éineacht le chéile riamh ina dhiaidh sin, ach b'fhéidir cois na huaighe sin i San Diego ina bhfuil an tAthair Ó Raghallaigh . . .

" Is mise an duilleog dheireanach den tseamróg sin a mhaireas; ach is cuma, ní dhéanfaidh an Spealadóir dearmad."*

Sular scar an triúr sagart óna chéile leag siad amach scéim misinéireachta a bhí measartha mionchruinn.

1. A iarraidh ar easpaig na hÉireann cead a fháil ón Róimh dúiche speisialta sa tSín a chur faoi chúram na nÉireannach.

2. A iarraidh ar easpaig na hÉireann cead a thabhairt le coláiste misinéireachta a bhunú in Éirinn.

3. Ball éigin de Choláiste Phádraig a fháil le bheith ina uachtarán ar an ghluaiseacht. Fear éigin a bheadh toilteanach a phost a fhágáil, agus a mba *persona grata* ag an Eaglais in Éirinn é. (Ag an am seo, chomh fada agus is eol dúinn, ní raibh a fhios acu go mbeadh a leithéid de dhuine le fáil; ach bhí siad ar aon intinn go bhfoilseodh an Tiarna dóibh é, díreach mar rinne Sé i gcás an Bhíobla).

---

* Ó scríobh mé síos cuntas an Athar Uí Laoire air seo, fuair mé scéala ó Mhuintir Dhubhthaigh, Baile Átha Cliath, nach raibh ar eolas acu ach Bíobla amháin a rinne siad féin a chlóbhualadh in 1865. Deir siad nach bhfuil scéal ar bith acu faoi chlóbhualadh Bíobla sa bhliain 1866, mar deir Ó Laoire, agus tá siad cinnte nár clóbhuaileadh i Laidin é.

Ba leabhar mór é seo, tuairim ar 12 orlach ar fad, 8 n-orlach ar leithead agus 30 orlach ar doimhne. Thug an Dochtúir Pól Ó Cuilín cead clóbhuailte dóibh ar an 10 Meitheamh, 1865. Leagan Béarla den Bhíobla a bhí ann a aistríodh ón Ghnáth-Laidin. Bhí sé maisithe le cuid mhaith greandóireachta.

Tá tús leabhar Iósua leath bealaigh síos leathanach 159 agus fágann sin an véarsa atá i gceist anseo thíos ag bun an cholúin chlé ar an leathanach. Ós rud é go bhfuil leathanach 159 ar dheis, fágann sin an véarsa ag bun clé an leathanaigh dheis.

Bhí an tAthair Ó Gealbháin agus an tAthair Ó Raghallaigh ina suí ar aghaidh a chéile amach agus is dócha gur sin an fath gur shíl duine amháin go raibh an véarsa seo ar dheis agns an duine eile go raibh sé ar chlé.

4. An ghluaiseacht a leathnú i Meiriceá agus san Astráil, dá mbeadh rath uirthi in Éirinn. (Bhí a fhios acu go mbeadh neart fear as an bhaile toilteanach dul chun na Síne, ach nach mbeadh airgead go leor ann faoi choinne oibre chomh mór sin. Ba iad na hÉireannaigh a bhunaigh an Eaglais sna tíortha atá luaite, agus bheadh seans anois an comhar a íoc.)

An lá d'imigh an tAthair Ó Gealbháin ar bord loinge as Shanghai, an 16ú Meitheamh, 1916, bhí siad go léir tromchroíoch, ní nach ionadh, mar ba mhór a gcairdeas le chéile. Bheadh an fear as Baile Níos ina aonar as seo amach. Labhair siad le chéile ar an ché ar feadh tamaill, agus ansin go tobann tháinig teannadh éigin i súile an fhir a bhí ag imeacht agus chroith sé lámh leo.

" Slán agat, a Pháid. Slán agat, a Joe."

D'iompaigh sé thart agus shiúil díreach suas an pasáiste. Nuair a bhí sé ag barr, d'iompaigh sé arís agus dúirt go tochtmhar:

" Cén uair a bheimid le chéile arís ? '

Tháinig an tAthair Ó Gealbháin abhaile trí na Stáit Aontaithe. Nuair a bhain sé San Francisco amach chuir sé aithne ar shagart cáiliúil darbh ainm Peadar Yorke, ach má chuir ba bheag a bhí ar a shon aige.

" Ná bac leis anois, a athair," arsa Peadar Yorke. " Tá an pobal Éireannach bunoscionn i láthair na huaire."

Bhí a lán sagart eile ar an phort céanna. Dúradh leis go bhfaigheadh sé paróiste sa cheantar a dtugtar Chinatown air, dá mb'áil leis sin. Ach bhí Chinatown eile ar chúl a intinne aige, agus ar aghaidh leis soir arís. Ar a bhealach trasna na tíre bhain sé faoi in Omaha, Nebraska, áit ar thug an tAthair Judge, Éireannach as Tuaim, an chéad mhisneach dó ó d'fhág sé an tSín. Dúirt seisean go gcuirfeadh sé fearadh failte roimhe ar a bhealach ar ais, dá n-éireodh leis in Éirinn.

Rinne sé an chéad stad eile i Chicago agus thug cuairt ar an Ardeaspag (Cairdinéal amach anseo) Mundelein, a bhí ina easpag cúnta i mBrooklyn nuair a bhí an Gealbhánach féin ann. Níor ghnách leis an chléir bualadh isteach chuig an ardeaspag gan choinne; ach dúirt an rúnaí, an tAthair Ó Maolmhuaidh, go mbeadh fáilte roimhesean—nach gach lá a thagadh cuairteoir chucu as an tSín !

Bhí díograis an domhain ar an ardeaspag faoin scéim. Nuair a luaigh an tAthair Ó Gealbháin an méid a dúradh faoin Éirí Amach, agus go gcuirfeadh sé isteach ar a phleananna, d'éirigh an t-ard-easpag óna chathaoir agus tháinig trasna an urláir.

" Ní chuirfidh, a Athair," ar seisean. " Nuair a bhíonn daoine faoi léan déanann siad gníomhartha gaisce. Anois an t-am is cóir bualadh. Ná bíodh beaguchtach ort, fiú amháin má chastar deacrachtaí ort. Más é Dia a chuir tús leis seo, beidh toradh air; murab é, ní bheidh aon rath air. Ach ná cuir am amú anseo i Meiriceá; ar aghaidh abhaile leat go hÉirinn. Má fhaigheann tú ceadúnas ó easpaig na hÉireann tar ar ais anseo, agus beidh cead agat an scéal a chur faoi bhráid an phobail ar fud na hard-deoise seo."

Blianta ina dhiaidh sin scríobh an Gealbhánach:

" D'fhág mé an fear mór sin le croí lán de bhuíochas agus chuaigh síos an tsráid ar bharr na gaoithe. Thug sé misneach dom nach raibh mé ag súil leis. Dúirt sé liom go mbeadh toradh air, má chuir Dia tús leis, agus murar chuir níor mhian liom aon toradh. Chuir sin gach uile rud ina cheart dom."

Sular fhág sé calafort Nua-Eabhrac thug sé cuairt ar a sheanchairde i bparóiste an Phaidrín Naofa i mBrooklyn. Ceithre bliana a bhí caite ó chonaic sé go deireanach iad, agus bhí a lán rudaí le cardáil aige leo. Thug sé cuairt eile ar Maryknoll, áit a bhfuair sé an tAthair James A. Walsh agus seacht gcúraimí an tsléibhe air ag gabháil don obair chéanna a bhí seisean a thógáil air féin. Cé nach raibh mórán airgid ag muintir Maryknoll, thug siad cúig dollar is fiche dó, maraon lena mbeannacht. D'fhág sé Nua-Eabhrac Lá Fhéile Muire Mór san Fhómhar, an 15ú Lúnasa, agus tháinig i dtír i mBaile Átha Cliath ar an Déardaoin, an ceathrú lá fichead.

IN IOMPAR

NÍ raibh an tAthair Ó Gealbháin i bhfad i mBaile Átha Cliath, an Lúnasa sin 1916, nuair a chonacthas dó go raibh níos mó ar intinn easpag na hÉireann na misean a bhunú don tSín. Ghoill an tÉirí Amach go trom ar a lán de mhuintir na tíre, agus chuaigh seal fada thart sular éirigh leo a thuiscint cad é ba chúis leis. I mí Lúnasa bhí an tír i mbroid le mísháсamh i ndiaidh na mbásuithe. Bhí aghaidh na príomhchathrach colmnach i gceart anois, na foirgnimh láir millte, agus na príosúnaigh daortha agus curtha faoi ghlas. Bhí an tír uile faoi bhois an chait ag an Ghinearál Maxwell a bhí i mbun an R.I.C. agus 40,000 saighdiúir.

Chuaigh an Gealbhánach díreach go teach i gCarraig Bhraonáin, Co. Bhaile Átha Cliath. Bhí a fhios aige roimh ré go raibh sagart ansin a raibh suim mhór aige sa tSín—an tAthair Ó Rónáin. Chuir sé ina chomhairle na ceithre phointe a bhí socraithe acu sa tSín. Nuair a luaigh sé an tríú ceann, gur theastaigh uathu duine éigin as Má Nuat a rachadh i bpáirt leo, dúirt an Rónánach gur mheas sé go raibh an fear sin ar a eolas. Thug sé gearrchuntas air. Seán Ó Blathmhaic ab ainm dó—fear as Ard-deoise Thuama a ndearnadh sagart de sa bhliain 1913. Sa bhliain 1914, nuair a bhí sé ag ullmhú faoi choinne scrúdaithe an D.D. i dTeach Dhún Bóinne, Má Nuat, rinneadh ollamh le Diagacht de. De réir an Rónánaigh, músclaíodh a shuim sa cheist seo nuair a chuala sé an tAthair Fraser ag caint sa choláiste, agus bhí rún daingean aige dul chun na Síne i gcionn dhá bhliain nó mar sin. Anois, ó tharla go raibh an tAthair Ó Gealbháin féin sa bhaile agus scéim ghlan faoi réir aige, b'fhéidir go rachadh sé i bpáirt leo ar an toirt.

Bhí áthas an domhain ar an Athair Ó Gealbháin faoin scéala seo, agus b'éadrom lúcháireach a chroí ag fágáil Charraig Bhraonáin dó. Thug sé a aghaidh ar Stáisiún Dhroichead an Rí agus chuaigh ar an traein go Corcaigh. Chomh luath agus a shroich sé Corcaigh, chuaigh sé chun an Ardáin Theas a labhairt leis an easpag. Ba é an Dochtúir Ó Cochláin a bhí ina easpag ar Chorcaigh anois, fear a raibh seanaithne ag an Athair Ó Gealbháin air nuair a bhí sé ina ollamh i Má Nuat. Níor ghá dó é féin a chur in aithne ná focal mínithe a thabhairt ar a ghnó, mar bhí litreacha ag an easpag ón Athair Ó Laoire cheana féin. An lá ina dhiaidh sin scríobh an Gealbhánach litir chuig a chara, Joe, sa tSín, agus is léir uaithi cad é mar a chuaigh an t-agallamh:

26 Lúnasa, 1916.

" A Joe a chara,

" Níor fhan mé i mBaile Átha Cliath ach cúpla uair an chloig, mar ba mhaith liom go mór easpag Chorcaí a fheiceáil. Tháinig mé, chonaic mé é, agus fearadh fíorchaoin fáilte romham. Bhí sé ag cur do thuairisce, agus is léir go bhfuil sé iontach mórálach as na híobairtí a rinne a bheirt shagart sa tSín. Nuair a thosaigh mé a chur síos ar ár scéimeanna, chuaigh sé le loinne díograise ina dtaobh láithreach, agus chomhairligh sé faoi cad é ba chóir a dhéanamh agus faoi gach mionphointe dar bhain leis. ' Gabh abhaile agus beannaigh do do mháthair," ar seisean. " Ach tar ar ais chugam i gcionn chúpla lá agus beidh comhrá eile againn, agus tabharfaidh mé litir duit chun an Chairdinéil, ag cur síos ar an scéim agus ag lua mo dhea-mheasa air, agus ortsa freisin.'

". . . Leoga, is beag nach raibh na deora liom."

Is gnách le misinéirí a rá go bhfuil laethanta saoire sa bhaile in Éirinn inchurtha le cúrsa spioradálta. Fuair an Gealbhánach mar sin é, an teaghlach sé bliana ní ba sine agus iad go léir ag feitheamh go cíocrach le gach scéala dá raibh leis an " Síneach." Bhí siad ina gcónaí i gClódach anois, sa teach nua a tógadh in áit an tseantí. Ba é an seanteach a mhair in intinn agus i gcroí an tsagairt, ach bhí a fhios aige go ngluaiseann an saol ar aghaidh i ndiaidh an iomláin, agus gurbh amaideach an rud a bheith ag dréim le saol na hóige arís. Nuair a bhí deireadh leis na beannachtaí, agus tháinig sos sa chomhrá, chuaigh sé amach as an teach agus síos go dtí an Garraí Cabáiste; ach, faraor, bhí an claí leagtha chun talaimh agus an spás beag istigh leis an chuid eile den pháirc. Is cuimhneach leis an teaghlach go ndearna sé gáire beag míshásta nuair a chuala sé gurbh é Risteard a ba chúis leis, agus go ndúirt sé os íseal:

" Ní bheadh lá amhrais orm."

Dhá lá eile agus bhí sé i láthair an easpaig arís i gCorcaigh. Thug an t-easpag litir dó chun an Chairdinéil Uí Laodhóg, agus dúirt go raibh sagart óg eile sa deoise a raibh díocas air le dul chun na Síne. Ed. Mac Cárthaigh ab ainm dó.

" Féachaimis ar na sócmhainní, a athair," arsa an t-easpag. " Tá beirt fhear agat sa tSín, fear i mBaile Átha Cliath atá réidh nach mór, fear i Má Nuat b'fhéidir. Ed. Mac Cárthaigh agus tú féin. Sin cúigear nó seisear. Sin na sócmhainní, mar a déarfá. Anois na freagrachtaí. Níl aon airgead agat, agus tháinig tú ar ais chun na hÉireann i lár réabhlóide. Ach is cuma. Ádh mór ort agus go gcuire Dia rath ar an obair."

Ba é an Dochtúir Mac Cafraidh, Leasuachtarán Mhá Nuat, an chéad fhear eile a chonaic sé. Tuaisceartach fadcheannach a bhí ann, " ard san intinn agus íseal sa chorp " mar a dúirt nathaire éigin. Ar ndóigh, ba é seo an fear a raibh an triúr acu ag smaoineamh air sa tSín—an fear a rachaidh i gcionn na hoibre in Éirinn, b'fhéidir. Thug sé cluas ghéar don scéim agus ba léir go raibh sé díograiseach. Dúirt sé gurbh é an chéad rud a bhí le déanamh coiste ionadaíochta a thabhairt le chéile agus scéim chinnte a leagan amach lena cur os comhair chruinniú na n-easpag i Má Nuat san Fhómhar.

" Níl mórán ama agat, a athair," ar seisean. " Agus mholfainn duit tosú gan mhoill ar an turas go hArd Macha, ar eagla go gcluinfeadh an Cairdinéal an scéal ó dhuine éigin eile." Dúirt sé na focail dheireanacha le mionghháire, agus bhí loinnir sna súile gorma faoi na malaí dosacha.

Ba ghnách leis an Chairdinéal Ó Laodhóg saoire a chaitheamh i gCairlinn, Co. Lúbhaidh, agus ba shuimiúil an t-amharc é taoiseach na hEaglaise in Éirinn a fheiceáil ag gabháil i ndiaidh a chinn isteach san fharraige. Fear beag ar nós leipreacháin a bhí ann. Léigh sé litir an Easpaig Uí Chochláin go cúramach, agus ansin d'fhág sé ar an tabla roimhe í agus chuir barra a mhéar le chéile.

" Chualamar rud éigin faoi seo cheana féin," ar seisean, ag tagairt don Athair Fraser, " ach i ndiaidh an iomláin ní raibh ann ach buidéal toite."

Thosaigh an Gealbhánach a chur síos ar an méid sagart a raibh suim sa scéim acu, agus mar sin de. Ach ba bheag aird a thug an Cairdinéal air, de réir cosúlachta.

" Tá a fhios sin agam, a athair, ach an bhfuil aon airgead agat ? "

" Níl."

" Sea, mura bhfuil airgead agat, cad é mar tá tú ag súil le coláiste a thógáil in Éirinn ? "

" A Onóir, níl airgead ar bith agam, ach tá muinín mhór agam as flaithiúlacht mhuintir na hÉireann."

' Tá creideamh láidir ag muintir na hÉireann, agus tá siad an-fhlaithiúil, ach san am chéanna b'fhearr dá mbeadh rud beag airgid agat le tús a chur ar an obair. Mar sin féin, is iad easpaig na hÉireann uile is cóir an cheist seo a scrúdú, agus níl ionamsa ach duine amháin acu."

Caithfear a admháil nach raibh an Cairdinéal ró-dhíograiseach, ach bhí an Gealbhánach sásta go leor go raibh beirt easpag sa tír ag smaoineamh ar an cheist. Chuaigh sé ar aghaidh go Béal Feirste le triail a bhaint as easpag eile, an Dochtúir Mac Ruaidhrí, agus ar a bhealach ar ais bhuail sé isteach chuig an Chanónach Ó Leighin, sagart paróiste Bhaile Átha Fhirdiadh. Dúirt an Canónach trí fhocal leis a raibh ceol iontu:

" Tóg bailiúchán anseo."

Bhí socraithe aige cuairt eile a thabhairt ar an Athair Ó Rónáin ar a bhealach ó dheas, ionas go bhfaigheadh sé eolas éigin faoin Athair Ó Bláthmhaic, an t-ollamh óg as Má Nuat. Nuair a tháinig sé a fhad leis an chléirtheach, 16 Ardán Longphoirt, Carraig Bhraonáin, bhuail sagart strainséartha leis ar leac an dorais. Fear óg, ard, córach a bhí ann, spéaclaí air, agus é gléasta go cúramach faoi hata dubh agus cóta Chesterfield. Rinne siad comhartha cinn lena chéile, agus leis sin osclaíodh an doras agus nocht an tAthair Ó Rónáin ar an tairseach.

" An é nach bhfuil aithne agaibh ar a chéile ? " ar seisean, ag déanamh gáire. " A Sheáin, seo Ned Ó Gealbháin; a Ned, seo Seán Ó Bláthmhaic."

Tharla go raibh ceithre bliana eatarthu i Má Nuat, agus mar sin níor aithin siad a chéile ar dtús. Chuir siad an scéal uile trína chéile an oíche sin go raibh sé mall. Dúirt an tAthair Ó Bláthmhaic nach raibh sé réidh go fóill leis an fhocal deireanach a rá, nár mheas sé gurbh é féin an sórt taoisigh a bhí an Gealbhánach a lorg, go raibh sé i gceartlár a chuid staidéir, agus go raibh a lán rudaí eile nach bhféadfadh sé a chur i leataoibh gan machnamh orthu go dian.

" Tá gach aon rud ag brath ort, a Sheáin," arsa an Gealbhánach. " Ár leas nó ár n-aimhleas. Má thágann tusa isteach linn, beidh Má Nuat isteach in éineacht leat."

" Rachaidh mé ar ais go Má Nuat," d'fhreagair sé, " agus déanfaidh mé diansmaoineamh air le linn an chúrsa spioradálta atá ag tosú amárach."

" Ag tosú inniu, ba cheart duit a rá," arsan an tAthair Ó Rónáin, mar bhí an meán oíche thart.

I gciúnas an chúrsa spioradálta sin shocraigh an tAthair Ó Bláthmhaic go rachadh sé i bpáirt sa scéim. Casadh an Gealbhánach air an lá i ndiaidh an chúrsa agus d'inis sé an dea-scéal dó. Idir an dá linn thug beirt eile le fios dó go raibh fonn orthu teacht isteach leis: an tAthair Séamas Ó Conbuí as Ceatharlach agus an tAthair Seán Ó hEighneacháin as deoise Thuama, fear a bhí in aon rang leis an Athair Ó Gealbháin i Má Nuat fadó. Dúirt an t-iartharach gur tháinig an smaoineamh chuige nuair a chonaic sé ógánaigh a bhaile féin ag dul amach a throid ar son na hÉireann.

" Cad chuige nach dtiocfadh liomsa rud mar sin a dhéanamh ar son Chríost ? " dúirt sé leis féin. " Chuaigh mé suas go Baile Átha Cliath le cuardach lóchrainn a dhéanamh ar Ned Ó Gealbháin agus, ar ndóigh, súil agam nach bhfaighinn ar chor ar bith é ! "

Bhí seachtar acu ann anois. Ba é an chéad chéim eile coiste a thoghadh leis an scéim a chur roimh easpaig na hÉireann. Thogh siad baill chumhachtacha de chléir na tíre, daoine as gach cúige, agus tháinig an coiste seo le chéile, faoi chathaoirleacht an Easpaig Uí Chochláin, sa Ghresham i mBaile Átha Cliath ar an 2ú Deireadh Fómhair, i lár chonamar Shráid Uí Chonaill.

Chuaigh an achainí mar leanas:

" Le tamall maith anois tá fonn ag teacht ar ghnáth-chléir na hÉireann páirt níos dlúithe ná a bhí cheana bheith acu in obair mhisinéireachta sa tSín. Mar is eol do chách, tá an pháirc mhór seo aibí le baint agus bainfear fómhar torthúil di, ag tabhairt daoine chun fírinne an tSoiscéil, ach an obair a dhéanamh mar is cóir. Mar atá an scéal faoi láthair, tá cruachás ar na sagairt Éireannacha atá ag obair ansin nó atá ag dréim le dul ann. Le leas a bhaint as an chlaonadh atá ann gan amhras, tháinig an coiste thíosluaite seo le chéile chun scéim reatha a mholadh ionas go mbeadh deis ag daoine iad féin a thabhairt suas don obair, sin nó cuidiú le daoine eile iad féin a thoirbhirt don obair mhisinéireachta sa tSín.

" Mar a dúradh cheana féin, tá cuid mhór sagart anseo ar mian leo bheith rannpháirteach san obair, ach cuirtear uaithi iad mar nach bhfuil aon eagraíocht sa tír dóibh, agus mar go mbíonn eagla orthu nach mbeadh a oiread toraidh ar a gcuid oibre agus ba chóir.

" Is mór an méid airgid a thug muintir na hÉireann don obair seo le ceathair nó cúig de bhlianta anuas, agus is léir go leanfaidh siad ag tabhairt airgid le sagairt Shíneacha a oiliúint ina dtír féin. Is scothobair í seo, agus ní ceart a bheag a dhéanamh di, ach d'fhéadfaí i bhfad níos mó a dhéanamh dá mbeadh áit oiliúna gnáthchléire do na misin againn anseo in Éirinn. Ós rud é go bhfuil traidisiún fada misinéireachta againn, feictear dúinn gur fiú an dara rogha seo a dhéanamh, agus measann an coiste go gcuirfidh sé feabhas ar chléir na hÉireann chomh maith le beannachtaí móra ó Dhia a tharraingt ar ár dtír.

" Mar sin, molann an coiste seo go hurramach:

1. Go ndéanfaidh Easpaig na hÉireann gach ní is gá le Bhiocáireacht Éireannach a bhunú sa tSín.
2. Go gcuirfear ar bun Teach Misin don tSín in Éirinn faoi chúram agus údarás Easpaig na hÉireann le sagairt don Bhiocáireacht a sholáthar.
3. Go dtabharfar údarás do shagart éigin an scéim seo a stiúradh. Na sínithe seo a leanas:

✠ Dónall Ó Cochláin, Easpag Chorcaí (Cathaoirleach)
Seán F. Ó hÓgáin, D.D.
Uachtarán, Coláiste Phádraig, Má Nuat
Séamas Canónach Mac Cafraigh D.Ph.,
Leasuachtarán, Coláiste Phádraig, Má Nuat
P. Canónach Ó Leighin, S.T.L., S.P., V.F., Ard Macha
Mícheál Ó Murchú, D.D., S.P., V.G.
Cill Dara agus Leithghleann
T. Canónach Ó Longáin, D.D., S.P., Ardachadh
Dónal Mac Caisín, S.P., V.F., Dún agus Coinnire
Seán Ó Bláthmhaic,
Ollamh, Coláiste Phádraig, Má Nuat
Éamann Ó Gealbháin,
Misinéir Aspalda, Chekiang, an tSín

Sular tháinig na heaspaig le chéile i nDeireadh Fómhair, bhí ar an Athair Ó Bláthmhaic cead a lorg óna uachtarán féin, an tArdeaspag Ó hÉalaí i dTuaim, le bheith páirteach san obair. Níor thaitin sé go rómhór leis an ardeaspag iarratas mar sin a fháil ón ógfhear seo a raibh a leithéid de mhianach eaglaisigh ann. D'fhreagair sé:

" Tugaim comhairle duit gan do chathaoir a fhágáil. Déan do dhícheall ar son na Síne—is obair dhiaga í; ach caithfidh tú féin fanacht sa bhaile."

Nuair a fuair an tAthair Ó Bláthmhaic amach gur mar sin a bhí, thug sé aghaidh le hiomghoin ar Theach an Ardeaspaig i dTuaim. Fad a bhí sé ag fanacht leis an tseanfhear a fheiceáil, chuala sé é ag monabar leis féin istigh:

" Is cosúil gurb í obair an Spioraid Naoimh í . . . ní thig liom cur as di. . . Ní thig."

An lá céanna sin thug sé an cead. Níor tugadh i scríbhinn é, mar go bhfuair an t-ardeaspag stróc cúpla lá i ndiaidh na cuairte seo—ní de bharr na cuairte, bhí súil ag an ollamh óg !

I gCLÚ CHEART 'S I gCÁIL

IS gnóthach an áit Má Nuat nuair a bítear ag ullmhú do chruinniú bliantúil na n-easpag san Fhómhar. Agus gach bliain bíonn an seanmhagadh céanna ann:

" Táthar ag baint an fhéir do na heaspaig."

" Ní raibh a fhios agam go n-itheann na heaspaig féar ! "

Ach bhí comhráite eile sa choláiste a ba shuimiúla go mór ná sin le linn Deireadh Fómhair na bliana sin 1916. Bhí ráflaí de gach sórt ann, go raibh an t-easpag seo " tréan ina éadán " go raibh an fear eile " céad sa chéad," fear eile " anti ar fad," agus mar sin de.

Dé Luain an 9ú Deireadh Fómhair, tháinig na heaspaig le chéile ar a deich a chlog ar maidin faoi cheannas comhairle an Chairdinéil Uí Laodhóg, agus cuireadh cáipéis rompu a raibh miontuairiscí na scéime inti. Bhí an tAthair Ó Gealbháin ag feitheamh i seomra an Athar Uí Bhláthmhaic ar feadh na maidine, agus é ar bior. Nuair a tháinig am lóin bhí an ráfla ag na daoine " a raibh eolas acu " nach raibh na heaspaig rófhabhrach ar chor ar bith agus " an tír sa dóigh a bhfuil sí." I dtrátha a dó a chlog tháinig siad le chéile arís, agus chuaigh an tAthair Ó Gealbháin agus an tAthair Ó Bláthmhaic ar ais chun an tseomra i gcuideachta an Dochtúra Gearóid Mac Piarais, Ciarraíoch mór trom d'fhoireann an choláiste a bhí cairdiúil leo. Bhí drochaoibh orthu, agus ní raibh maith ina gcomhrá.

Ar a trí a chlog nó mar sin buaileadh cnag ar an doras. Bhí teachtaire ó na heaspaig chucu.

" Ba mhaith leo go rachadh an tAthair Ó Bláthmhaic síos."

" Anois, a Sheáin," dúirt an Gealbhánach, " ná déan dearmad ar an dá phointe sin, cead airgead a bhailiú agus cead coláiste a bhunú."

Chuaigh an tAthair Ó Bláthmhaic trasna na cearnóige. Bhí na garraithe uile faoi bhláth, agus boladh cumhra an fhéir bhainte ina thimpeall, ach ní air sin a bhí aird aige. Chuaigh sé isteach sa tseomra. Bhí cathaoir fholamh idir an Cairdinéal agus an tArdeaspag Breatnach as Baile Átha Cliath, agus iarradh air suí síos agus " cúpla pointe a mhíniú." Luigh sé go trom ar an dá rud a dúirt an Gealbhánach. Nuair a bhí sé réidh thosaigh an Cairdinéal a thrácht ar scéalta a chuala sé ó na mná rialta i dtaobh na Síne. Iarradh ar an Athair Ó Bláthmhaic an seomra a fhágáil ar feadh tamaill. I gceann leathuaire nó mar sin chuir siad teachtaire chuige arís. Agus an iarraidh seo bhí an lá leis. Dúirt an Cairdinéal go raibh na heaspaig toilteanach dul ar aghaidh leis an scéim, agus go mbeadh ar an Athair Ó Bláthmhaic cuidiú a thabhairt don Dochtúir de Brún, Easpag Chluain Uamha, leis an cháipéis a ullmhú don chéad chruinniú eile an lá arna mhárach.

Maidin amháin léigh muintir na hÉireann an scéala seo ina gcuid nuachtán:

" Cúis mhór sásaimh dúinne, Cairdinéal, Ardeaspaig, agus Easpaig na hÉireann, ar bheith cruinnithe i gcomhdháil ghinearálta dúinn, achainí a fháil ó shagairt ionadaíocha as a lán áiteanna in Éirinn. Iarrann siad cead agus údarás na n-easpag le Teach Misinéireachta nó Coláiste a bhunú in Éirinn d'oiliúint na sagart Éireannach sin atá toilteanach iad féin a thabhairt suas d'obair Phropaganda na hEaglaise Caitlicí i dtír na Síne.

" Deir na sagairt seo rud a bhí ar eolas againn cheana féin, go bhfuil gort méith torthúil le haghaidh misinéireachta sa tSín.

" Chuir scata beag sagart Éireannach tús rathúil ar an obair seo le déanaí. Tá sé ina scéala go bhfuil scata eile de shagairt óga dhíograiseacha ag feitheamh le cead agus le dea-thoil na n-easpag chun go dtabharfadh siad iad féin don obair aspalda seo. Ach is é an chéad rud atá ag teastáil Teach Misin nó Coláiste le haghaidh oiliúint na sagart sin.

" Rinne na heaspaig dianmhachnamh ar an achainí thábhachtach seo agus aontaíonn siad leis an scéim; tugann siad a mbeannacht di agus iarrann siad ar na fíréin cuidiú go carthanach le bunú an Tí Misin seo le haghaidh misinéirí a bheidh ag ofráil a mbeatha ar son an Chreidimh i dtír pháganach, mar a rinne ár gcine in allód.

✠ Mícheál Cairdinéal Ó Laodhóg, Cathaoirleach
✠ Roibeard, Easpag Chluain Uamha } Rúnaithe
✠ Donnchadh, Easpag Ros }

Ba é an tEaspag Ó Cochláin a bhaist an misean nua.

" As Má Nuat sibh uile," ar seisean. " Bunaíodh an misean i

Má Nuat. Dá bhrí sin níorbh fhéidir ainm níos oiriúnaí a chur air ná Misean Mhá Nuat chun na Síne."

Mar a dúramar cheana féin, rugadh an tAthair Ó Gealbháin Lá Fhéile Colmáin, agus bhí deabhóid ar leith aige ar feadh a shaoil don fhear a mheas sé a bheith ar an mhisinéir ba mhó dá ndeachaigh as Éirinn.

Lá amháin sa Mhárta, 1917, bhí sé féin agus an tAthair Ed. Mac Cárthaigh ag taisteal ar an traein trí Chontae Thír Eoghain, ar a mbealach ó Bhéal Feirste go Tír Chonaill. Dúirt an tAthair Mac Cárthaigh gurbh é Colm Cille ab oiriúnaí mar phátrún. Bhí an Gealbhánach ina shuí os a chomhair agus é ag caitheamh toitín.

" Ní thagaim leat, a Mhac," ar seisean, ag crapadh a mhalaí. " Nuair a bhí mé amuigh sa tSín, is cuimhin liom bheith ag léamh beathaisnéise Cholmáin a scríobh Montalembert. Sin an cineál pátrúin atá ag teastáil uainn."

Ón lá sin amach bhí a fhios ag an Athair Mac Cárthaigh agus a chairde nach raibh aon mhaith an scéal a phlé níos mó. Nuair a bunaíodh an cumann go dlíthiúil, níos faide anonn, ba é Cumann Naomh Colmán an t-ainm oifigiúil a tugadh air. Ach ba ghnách—agus is gnách go fóill—le muintir na hÉireann labhairt faoi Mhisean Mhá Nuat chun na Síne, agus sin an t-ainm a lean dó.

Ón 29ú Deireadh Fómhair, 1916, nuair a thug an tEaspag Ó Cochláin seanmóir san Ardeaglais i gCorcaigh, go dtí deireadh na bliana 1917, chualathas seanmóirí ar Mhisean Mhá Nuat chun na Síne ó gach uile altóir in Éirinn ach sa bheag. Bhí an tAthair Ó Bhláthmhaic ar scor óna ollúnacht go ceann bliana, agus i mí na Samhna bhí ceannoifig aige i nDumhach Trá, Baile Átha Cliath. Théadh " na Sínigh " ó theach pobail go teach pobail, ag tabhairt seanmóirí agus ag bailiú airgid. B'éigean sagairt eile a liostáil, bhí an oiread sin le déanamh. Mar sin de chuidigh gach uile chineál sagart: gnáthchléir na tíre, Slánaitheoraigh, Páiseadóirí, agus a lán eile nach iad. Chuir an tAthair Ó Bláthmhaic agus an tAthair Ó Conbhuí paimfléad pingine amach, agus roimh i bhfad díoladh cúig mhíle tríochad cóip de. Thug na nuachtáin neart spáis faoi choinne bolscaireachta, agus de réir a chéile thosaigh an sruthán a leathnú ina thuile. Faoi Mhárta, 1917, scríobh an tAthair Ó Gealbháin chuig an Athair Ó Laoire sa tSín:

" Tá gach uile ní ag dul ar aghaidh go hiontach, i bhfad níos fearr ná shíleamar a rachadh choíche."

Ach bhí na cinicí ann freisin, idir shagairt agus thuataí. Dá ghaire do dhuine a chóta is gaire dó a léine, dar leo. Bhí neart le déanamh sa tír seo gan rith i ndiaidh na gcanablach. " Earra daorluachach teach misin i dtír nach bhfuil rialtas inti. . . Agus cluinim go bhfuil Pádraig seo thuas ag smaoineamh dul chun na Síne. . . Nach beag an chiall atá aige ? " . . . Amanna i dteanga Cholm Cille agus Cholmáin.

Sa Mheitheamh chuaigh an tAthair Ó Gealbháin agus an tAthair Ó Bláthmhaic chun na Róimhe mar theachtaí ó easpaig na hÉireann. Chuir siad an scéim roimh stiúrthóirí an Choláiste Naofa Propaganda Fide. Ní raibh guth oifigiúil ag muintir na hÉireann sna hambasáidí an t-am sin, agus ní hiontas é gur cuireadh amach ráfla sa Róimh go raibh an scata seo in éadán dul isteach in arm na Breataine, agus nach raibh iontu ach " Sinn Féin priests " a bhí go tréan in éadán coinscríobh na nÉireannach—ceist a bhí i mbéal gach duine in Éirinn. Ach níorbh fhada go bhfuair siad amach sa Róimh nach mar sin a bhí an scéal, agus tháinig an bheirt sagart abhaile sásta go maith. Mhol an Róimh go mbeadh na misinéirí seo ina ngnáthchléirigh. Thug an Pápa Benedict XV a bheannacht dóibh, agus tugadh gealltanas go gcuirfí ceantar sa tSín in áirithe do na hÉireannaigh. Sea, b'fhiú an turas a dhéanamh, cé go raibh cogadh ar an Mhór-Roinn agus ráflaí in Éirinn narbh fhada go mbeadh ceann eile ansin.

Nuair a tháinig sé ar ais go Baile Átha Cliath thosaigh an tAthair Ó Bláthmhaic a chur tuairiscí faoi theach a bheadh oiriúnach dóibh. Sa deireadh scrúdaigh sé seanfhoirgneamh Seoirseach, tuairim is fiche míle lastuaidh de Ghaillimh. Bhí sé dhá mhíle dhéag ón stáisiún traenach, agus bhí beanna Chonamara le feiceáil ag bun na spéire san iarthar agus Cruach Phádraig ó thuaidh. Páirc Dhealgáin a bhí ar an áit agus measadh go mbeadh sé oiriúnach. Tógadh ar cíos é ó Bhord na gCeantar Cúng, agus i dtosach mhí Nollag, 1917, bhí cuid acu ina gcónaí ann. Le linn na bliana sin fuarthas níos mó ná 110 n-iarratas ar dhul isteach sa choláiste nua, agus bhí an tAthair Ó Bláthmhaic ábalta a fhógairt go raibh fiche sagart agus trí mhíle tríochad punt aige.

" Beidh céad míle punt de dhíth orainn," ar seisean. " Ach is dóigh go mbeidh na Stáit Aontaithe agus an Astráil in ann a leath sin a chur ar fáil."

Chuaigh an tAthair Ó Gealbháin agus cara leis, an tAthair

Mícheál Ó Dubhláin, go Meiriceá agus chonaic go raibh gach ní ag dul ar aghaidh go maith. Ar an 3ú Nollaig, Lá Fhéile Proinsiais Xavier, an misinéir is mó sa nua-aois, cuireadh tús leis an ghluaiseacht sna Stáit Aontaithe. An mhaidin ina dhiaidh sin fuarthas seic 250 dollar ón Chairdinéal Ó Fearghaile—an chéad síntúis ón Domhan Úr. Ní raibh na Stáit Aontaithe sa chogadh go fóill, agus bhí sé i bhfad ní b'fhusa dul thart ná a bhí in Éirinn. Thug an bheirt cuairt ar an Chairdinéal Ó Conaill i mBoston roimh an Nollaig. Bhí eolas maith ag an phréaláid seo ar an Domhan Thoir, agus dúradh go raibh sé i láthair ag corónú Impire na Seapáine. Fuair siad a bheannacht agus seic míle punt. Le teacht na bliana úire bhí an tAthair Ó Gealbháin agus a chara i Chicago nuair a tharla an sneachta síobtha ba mhó dá raibh ann le fiche bliain. I ndiaidh bheith ceaptha ansin ar feadh tamaill, ar aghaidh leo go Philadelphia, via Baltimore agus Ohio. Bhain siad Philadelphia amach dhá uair sula bhfuair an tArdeaspag Piondargás bás. Le linn a thinnis dheireanaigh chuir sé tuairisc Mhisean Mhá Nuat chun na Síne.

Lá amháin tháinig litir ón Athair Ó Tuile as Brooklyn ag tabhairt gealltanais go mbeadh míle dollar faoina gcoinne gach uile bhliain. Dúirt sé go mbaileodh páistí na scoileanna an méid sin, agus go ndéanfadh siad a ndícheall le riar ar pharóiste amháin sa tSín. Ach bhí a lán tionscnamh eile ar siúl sa taobh thoir de na Stáit Aontaithe, agus mheas an bheirt sagart gurbh fhearr dóibh a n-aghaidh a thabhairt siar, cé go bhfuair siad cairdeas agus ciste sa cheantar ina raibh siad.

Ba chuimhin leis an Athair Ó Gealbháin rud éigin a dúirt an tAthair Judge in Omaha an t-am deireanach a bhí sé ansin. Mar sin de, anonn i ndeireadh an Mhárta, 1918, chuaigh an bheirt go dtí an chathair seo ar an bhruach thiar den Mhissouri. B'fhada an tAthair Judge ag leanúint imeachtaí na gluaiseachta nua, agus chuir sé fearadh na fáilte rompu.

" Fáilte, fáilte, fáilte romhaibh," ar seisean. " Nach ndúirt mé leat, a Ned, go n-éireodh leat. Fáidh fíormhaith an seanfhear seo ! Tá a fhios agam cad é rinne sibh in Éirinn, ach cad é mar d'éirigh libh sa tír seo ? "

Thosaigh an tAthair Ó Gealbháin a chur síos ar na buntáistí beaga a bhí bainte amach acu cheana féin, ach dúirt nár éirigh leo áit chónaithe a fháil go fóill.

An tEaspag Ó Gealbháin i gColáiste Cholmáin, Dealgán, nuair a d'fhill sé ar Éirinn den uair dheiridh, Bealtaine, 1954. In éineacht leis tá an tAthair Seán Ó Bláthmhaic (ar clé), agus an tEaspag Ó Cléirigh a díbríodh as an tSín chomh maith

" Gheobhaidh sibh áit gan stró," arsa an tAthair Judge, ag tógáil a láimhe in airde. " Rachaimid go dtí an t-ardeaspag. Ní fheallfaidh sé ort."

Ní raibh an tArdeaspag Ó hArtaigh ach i ndiaidh teacht as na hOileáin Fhilipíneacha, agus bhí a lán eile ar a intinn. Mar sin féin, ba leor oíche amháin le freagra a fháil uaidh go mbeadh fáilte rompu in Omaha.

" An t-aon rud amháin is cás liom, an mbeidh an chathair seo mór go leor don obair iontach seo."

An lá arna mhárach, an 26ú Márta, fuair an tAthair Ó Gealbháin litir agus cead i scríbhinn uaidh. An lá céanna sin, sa Róimh, chuir an Cairdinéal Van Rossum a shíniú leis an doiciméad a chuir an ghluaiseacht nua faoi choimirce an Choláiste Naofa Propaganda Fide.

I gceann roinnt laethanta bhí príomhoifig acu i Meiriceá, mura bhfuil an focal sin róbhreá ar áit bheag i lár Omaha nach raibh ann ach ceithre bhall troscáin agus clóscríobhán. Mar sin féin, taobh istigh de mhí amháin bhí an chéad eagrán Meiriceánach de *The Far East* i gcló. Scríobh an tAthair Ó Gealbháin abhaile go raibh siad ina suí " i gceann de na tithe spéire, mar is oiriúnach do dhaoine ardaithe." Chuir sé faoi choinne an Athair Uí Laoire agus an Athar Uí Raghallaigh le cuidiú leo, agus fágadh an cumann Meiriceánach faoi chúram an Athar Ed. Mac Cárthaigh.

D'fhág an Gealbhánach na Stáit Aontaithe ar an 22ú Eanáir, 1919, agus chuaigh ar ais go Dealgán, áit ar cuireadh fáilte roimhe le ceolchoirm. Tháinig scéala ón Róimh go raibh misean ar leith faoina gcoinne sa tSín, agus ar an 29ú Meitheamh bunaíodh Cumann Naomh Colmán go canónta ag an Dochtúir Ó Deaghaidh, Easpag na Gaillimhe. Bunaíodh an cumann in Omaha i mí na Nollag roimhe sin.

Le teacht na Samhna, 1919, bhí an tAthair Ó Gealbháin agus an tAthair Ó Bláthmhaic thall sa Róimh arís, ag iarraidh gach socrú faoina ndúiche sa tSín a chur i gcrích. Sular fhág siad Baile Átha Cliath b'éigean dóibh oifigeach d'arm na Breataine a cheadú faoin turas.

" A dhaoine uaisle, an féidir go bhfeicfidh sibh an Pápa ? "

" Is féidir."

" An ndéanfaidh sibh gar dom."

" Más féidir é."

" Sea. Nuair a fheicfidh sibh é, iarraigí air imlitir nó rud éigin a chur amach ag cáineadh an dreama fhuiltigh seo Sinn Féin! An bhfuil a fhios agaibh seo! Bhí mé ag teacht isteach ó Chill Droichid ar maidin le pónaí is trap, agus bhí crann leagtha acu trasna an bhealaigh! "

Thug Propaganda Fide dóibh an ceantar a raibh siad ag dúil leis, Hanyang i lár na Síne. Ach níor tugadh gan trioblóid é. Ba iad na Proinsiasaigh Iodáileacha a bhí ag obair sa cheantar sin agus chonacthas dóibhsean go raibh " lucht an Bhéarla " ag dul thar scríob leis seo. Leis an fhírinne a dhéanamh ní hiontas sin, óir b'fhada iad ag stiúradh misean sa réigiún sin, agus b'fhéidir nach mbeadh an dream nua seo in ann chuig an obair. Ba dheacair an scéal a mhíniú dóibh. Ach nuair a bhí an bheirt Éireannach réidh ní raibh lá amhrais ar a gcairde go raibh ord-uithe faighte ag an arm beag Éireannach agus go raibh siad ar tí máirseáil. Bhí an Fhraincis go maith ag an Athair Ó Gealbháin, de bharr na mblianta a chaith sé i Chekiang, agus deirtear go labhraíodh sé leis na hIodálaigh i meascán Fraincise agus Laidine agus Béarla, ach nuair a bhíodh sé corraithe go mór go dtarraing-íodh sé air teanga na Síne.

An bhliain chéanna fuair siad cuireadh ó chliarlathas na hAstráile dul amach ansin. An tArdeaspag Ó Mainchín ba chúis leis, agus cuireadh ann an tAthair Ed. Mag Uidhir.

Bhí a lán le hinsint ag an dá shagart ón Róimh nuair a bhain siad Dealgán amach. A leithéid de fháilte is a cuireadh rompu! Scríobh mac léinn amháin: " D'éisteamar leis an fhear sin agus bheimis sásta dul leis go deireadh an domhain." Bhí tuairim is daichead sagart ann anois, agus gan ach beirt acu thar an tríocha...... an tAthair Ó Gealbháin agus an tAthair Ó hEighneacháin. Bhí iomann ar leith acu. Seaniomann Gaelach a bhí ann, é cóirithe ag an Athair Máirtín Ó Dónaill as Tuaim, agus ag an Ollamh Roibeard Ó Duibhir as Coláiste na hOllscoile, Baile Átha Cliath:

Éist m'anam, éist, tá guthanna dá síneadh
Ó thíorthaibh atá faoi dhorchadas na hoíche
'Gus leis an bhfuaim tá an t-aer anois dá líonadh
Chun solas d'fháil dá dtreorú ar a slí.

Curfá :

I bhfad i gcéin, tá an fómhar buí ag crathadh
Is Críost ag súil le lucht a tháinte d'fháil,
Ar aghaidh linn 's cuirimis chun a shábháil
Dílis go deo do Dhia 's d'Inis Fáil.

Sular fhág siad an tír, chuaigh an tAthair Ó Bhláthmhaic agus an tAthair Ó Gealbháin go dtí Ara Cœli in Ard Macha, áit chonaithe an Chairdinéil. Nuair a bhí an suipéar thart thaispeáin an seanfhear an seomra leapa dóibh. Chuaigh sé féin suas staighre rompu agus coinneal lasta ina láimh. Nuair a chuaigh sé isteach sa tseomra ar an dara hurlár thaispeáin sé don Athair Ó Bláthmhaic an lasc faoin cheannadhairt leis an tsolas a mhúchadh, agus ansin rinne sé meangadh beag gáire agus thug amharc eolach i dtreo an mhatail. Nuair a bhí sé imithe d'amharc an bheirt eile an treo céanna agus chonaic an deilbh. Gabriel Beannaithe Perboyre a bhí ann, marbh ar an chroch, a cheann ar a bhrollach agus a chúl fada gruaige ar sileadh leis chun a bhásta.

I mBÉASA, I dTRÉITHE IS I MIOTAL

THÁINIG an scata beag le chéile i gColáiste Naomh Colmán, Páirc Dhealgáin, Lá Fhéile Pádraig, 1920—corradh le seachtain roimh theacht na nDúchrónach. Osclaíodh an Coláiste dhá bhliain roimhe sin le naoi mac léinn déag; bhí daichead anois ann. Bhí daichead sagart sa chumann anois, agus bhí sé socraithe acu go rachadh an tAthair Ó Bláthmhaic, an chéad Uachtarán Ginearálta, amach chun na Síne i gcuideachta an Athar Uí Ghealbháin agus naonúr eile. Bhí cúigear eile sna Stáit Aontaithe cheana féin, agus thiocfadh siad uile le chéile ansin. D'fhanfadh an tAthair Ó Gealbháin sa tSín. Nuair a chuirfeadh an tAthair Ó Bláthmhaic eolas ar " luí na tíre " thiocfadh seisean abhaile, agus rachadh sé i gceann na hoibre in Éirinn.

Deasghnáth simplí a bhí ann. Dúradh an Paidrín i nGaeilge, tugadh Beannacht na Naomh-Shacraiminte, agus seanmóir ón Dochtúir Mac Giolla Mhártain, Easpag Thuama.

" Ní rud daonna an misean seo chun na Síne," ar seisean. ' Ní airgead é, ná pléisiúr, ná rómhánsaíocht, ná eachtraíocht ná cáil ná clú—níl ann ach lá beag a chaitheamh ag obair agus ag fulaingt i gcuideachta Íosa Críost. . . Is mó ná saibhreas é, is mó ná cumhacht pholaitíochta nó eolaíocht nó aon ghlóir dhaonna é. Is é an misean é a thug an tAthair do Chríost, agus a thug Críost do na haspail, ag rá leo: ' Mar a chuir an tAthair mise, cuirimse sibhse mar a gcéanna. . . Gluaisigí tríd an domhan go léir agus déanaigí an soiscéal a chraobhscaoileadh don uile chréatúr.' . . . Is tábhachtaí an teachtaireacht seo ná na teachtairi."

Ní dhearna siad dearmad ar na focail dheireanacha sin.

Chan siad iomann an mhisin agus chuaigh amach as an aireagal isteach sa halla. An Chéadaoin a bhí ann, agus ní raibh mórán ama anois acu le bheith ag ceiliúradh dá chéile. Oíche Dhéardaoin bhí siad mall ag dul a luí. Chuaigh scata ar fud an tí, ag bualadh isteach sna seomraí agus ag ceol in ard a gcinn, ag aithriseoireacht agus mar sin de. Baineadh macalla as na ballaí le Mad Carew The Hills o' Donegal agus " chanties " de chuid an Ghealbhánaigh.

Tháinig an Aoine agus meán lae. Bhí Beannacht san aireagal agus ghluais siad amach i dtreo na gcéimeanna. Lá measartha fuar a bhí ann agus bhí gach cóta mór ceangailte go muineál. Cuireadh na bagáistí isteach sna gluaisteáin, agus rugaí taistil leo. Bhí cuid acu ag caint is ag gáire, cuid eile ina dtost. Thosaigh duine éigin a chroitheadh lámh, agus i gcionn scaithimh bhí siad go léir ag breith barróg ar a chéile. Scairt duine amháin amach: " Bíodh an citeal ag gail dúinn i Hanyang," agus tógadh gárthaíl.

Cúpla bliain ina dhiaidh seo scríobh an tAthair Ó Gealbháin: " Cluinim go fóill féin an gháir a tógadh nuair a thosaigh na gluaisteáin ag imeacht. D'iompaigh mé thart le súil dheireanach a thabhairt ar Dhealgán, agus feicim go fóill iad ansin ag croitheadh ciarsúr."

Rud eile ar fad a bhí ar a n-aird ag na daoine a chonaic siad ag na crosairí ar a mbealach agus iad ag caint ar na ruathair i nDurlas agus i gCorcaigh. An lá ina dhiaidh sin, an 20ú Márta, bhí Baile Átha Cliath go huile ar fuaidreamh leis an scéala gur dúnmharaíodh Tomás Mac Curtáin, Ardmhéara Chorcaí, ag doras a thí féin. An oíche chéanna chuaigh an bhuíon bheag go Coláiste Phádraig, Má Nuat, agus tugadh dinnéar ceiliúraidh dóibh. Chuala siad óráidí, sláintí agus amhráin a mhairfeadh i bhfad ina gcuimhne. Ach an rud ab oiriúnaí ná aon rud eile, chuaigh siad go Beannacht Shollúnta na Naomh-Shacraiminte sa tséipéal céanna ina ndearnadh sagairt den mhórchuid acu. Canadh an Veni Creator agus an Te Deum, agus chuaigh cuimhne an Ghealbhánaigh ar ais go dtí an Domhnach eile sin, aon bhliain déag roimhe sin beagnach, nuair a chuaigh Seánó, Risteard agus a mháthair síos ar a nglúine taobh amuigh den doras sin ag feitheamh lena bheannacht.

Le linn an ama a bhí siad i Má Nuat, bhí an bagáiste trom ag teacht ar an traein go Stáisiún Broadstone. Bhí sé iontach toirteach, lán d'éadach, leabhair, clocha altóra, cailísí, agus mar sin de. Am éigin roimh an mheán oíche, nuair a bhí an traein ag teacht, cuireadh fáinne thart ar an stáisiún ag na saighdiúirí agus na póilíní. Dúirt an t-oifigeach le feidhmeannaigh an iarnróid go raibh eolas faighte acu go raibh na boscaí seo lán armlóin ! Bhí gach rud réidh ag na saighdiúirí, lorraí don armlón agus feithicil do na sagairt a bhí, faraor, ag baint aoibhnis as flaithiúlacht Mhá

Nuat. Tugadh na boscaí go Caisleán Bhaile Átha Cliath, agus chonaic an tAthair Ó Bláthmhaic an scéala ar an pháipéar maidin Dé Luain. Tar éis sé huaire tríochad coinneála agus scrúdaithe tugadh ar ais gach uile rud go dtí an Broadstone. Dúirt duine deisbhéalach éigin nach bhfuarthas ach aon arm dainséarach amháin—camán!

A fhad is bhí siad ag feitheamh le dul trasna go Learpholl lámhaíodh beirt i mBaile Átha Cliath, fear óg agus cailín. Bhí an chéad scata den fhórsa nua i ndiaidh teacht, faoi chótaí caicí agus brístí dubha, agus níorbh fhada go raibh leasainm ag na hÉireannaigh orthu. Tráthnóna an 26ú Márta, chuaigh na misinéirí trasna go Learpholl, agus an lá ina dhiaidh sin chuaigh siad ar bord an S.S. Carmania. Ní ghlacfadh na dugairí aon airgead as a gcuid freastail orthu. Tháinig cuid mhór sagart ó Learpholl, Leeds, Manchester, agus Birmingham go dtí an ché le slán a chur leis na "hÉireannaigh Shíneacha." Nuair a bhí an long ag tarraingt amach ón ché scaoil siad a mbeannacht le chéile i dteanga na nGael.

Seachtain na Páise a bhí ann, agus nuair a tháinig an Satharn roimh an Cháisc chuaigh an tAthair Ó Gealbháin chuig captaen na loinge le socrú a dhéanamh go bhfaigheadh na mairnéalaigh Chaitliceacha Faoistin agus Comaoineach Naofa don Cháisc. Ní raibh an captaen ródhíograiseach. Faoistin, sea, b'fhéidir sin mura mbeadh na fir ar diúité. Ach Aifreann agus Comaoineach ar an Domhnach: "That's quite opposed to the traditions of the service." Bhí na fir "iontach salach" ina bharúil, agus ní raibh cead acu dul isteach in áiteanna a bhí curtha in áirithe do phaisinéirí, go háirithe do phaisinéirí den chéad nó den dara rang. Ach níor thuig an captaen meon an duine a bhí os a chomhair, agus sa deireadh thug sé isteach dó. Bheadh cead ag na fir "dul go dtí an tseirbhís" ar chuntar go mbeadh siad faoi cheannas duine de na hoifigigh, agus go mbeadh siad "sciúrtha go maith."

Tháinig an Satharn agus chuir an Gealbhánach a chuid fear in eagar. Dúirt duine acu gur cheart "Misean Mhá Nuat chun an Cunard Line" a thabhairt orthu anois. Chuaigh na fir chun faoistine sna cábáin, agus thíos i seomraí na n-inneall, áit a raibh na fir ina seasamh in uisce go béal na mbróg. Ar a sé a chlog bhí faoistin déanta ag gach ball Caitliceach den fhoireann.

Maidin Dhomhnach Cásca bhí Aifreann ann ar a cúig a chlog don fhoireann. Bhí an tAifreann oifigiúil ann ar leath i ndiaidh a deich, agus tugadh seanmóir faoin Cháisc. Ar an Déardaoin, 8ú Aibreán, bhain siad Nua-Eabhrac amach agus fuair scata ag fanacht leo, nuachtóirí, ceamaradóirí agus mar ba ghnáth, Éireannaigh.

Bhí sé socair go ndéanfadh siad dhá chuid den turas chun na Síne. Ar feadh cúpla lá d'fhanfadh siad in Óstlann Murray Hill agus ansin scarfadh siad ó chéile. Chuaigh an tAthair Ó Gealbháin agus an tAthair Ó Bláthmhaic thart ag caint go poiblí agus ag tabharit seanmóirí anseo is ansiúd, ar feadh sé mí, in Ollscoil Chaitliceach Washington, i Maryknoll agus, ar ndóigh, i mBrooklyn. Ó Nua-Eabhrac chuaigh siad go hOmaha agus chuala an dea-scéal go raibh scaipeadh míosúil an *Far East* thar 60,000 anois ! Dea-scéal eile, go raibh triúr sagart Meiriceánach i ndiaidh seirbhís a thairiscint agus gur ceannaíodh talamh faoi choinne cliarscoile bige. D'fhág an tAthair Ó Gealbháin, an tAthair Ó Bláthmhaic, agus an tAthair Mac Póilín Omaha i ndiaidh Aifrinn Mhóir san ardeaglais. Ba é an Gealbhánach a thug an tseanmóir, agus ag deireadh an Aifrinn bheannaigh an t-ardeaspag croiseanna agus thug do na misinéirí iad.

Bhí ar an triúr ceannródaithe Hanyang a bhaint amach chomh gasta agus ab fhéidir leo, socrú a dhéanamh ansin faoi lóistín agus uile, agus scéala a chur ar ais go hOmaha go raibh siad réidh leis an dara cuid den pháirtí a thabhairt chun na Síne.

Chuaigh siad ar an traein as Omaha go Seattle. Sular sheol an long as an phort sin bhí siad ag caint le beirt sagart as Durlas agus le tuata éigin. Díreach nuair a bhí an long ag imeacht shín an tuata cúig dollar don Ghealbhánach. Dúirt seisean lena bheirt chompánach: " Sin an t-amharc deireanach ar Éirinn, an triúr sin."

An tráthnóna céanna sin shroich siad Victoria, mar a raibh an S.S. Katori Maru réidh don turas coicíse go Yokohama sa tSeapáin. Ní raibh ach aon Chaitliceach amháin ar bord leo, Meiriceánach de bhunadh na hÉireann a bhí ar a bhealach go Manila mar prhíomhoifigeach sláinte sna Filipíní, agus b'eisean an pobal Aifrinn a bhí ag na sagairt ar na Domhnaigh agus ar Dhéardaoin Chorp Chríost.

Bhí a gcúrsa i ngar don Chiorcal Artach, agus bíodh gurbh é an Meitheamh a bhí ann, ní fhaca siad mórán gréine, ach spéir dhúnta agus ceo. Shéidtí an bonnán go leanúnach. Nuair a bhí siad ag druidim le cósta na Seapáine, chuala an bheirt eile an Gealbhánach ag caint trína chodladh leis na searbhóntaí faoin bhagáiste—i dteanga na Síne! I bhfad uathu chonaic siad Fujiyama. Bhí an ché daite le parasólaí geala agus fir na ricseánna lena mbrístí bána cúnga agus a hataí leathana a raibh a n-uimhir orthu. Nár thruaillithe an modh taistil é! dar leis an Athair Ó Bláthmhaic.

Ní raibh suim dá laghad ag lucht na gcustam ach i dtobac, agus níorbh fhada go raibh siad ar an traein leictreach ó Yokohama go Tokyo. Bhí sé socraithe roimh ré acu go rachadh siad an bealach tíre trín Chóiré chun na Síne; ach bhí an táille dhá uair níos daoire ná a mheas siad, agus dá bhrí sin chinn siad dul ó dheas go Kobe, in aice le Osaka, le long a fháil. Sular fhág siad Tokyo thug siad cuairt ar Chlochar an Chroí Ró-Naofa agus chuir aithne ar sheisear nó ar sheachtar ban rialta Éireannach—iad go léir as Corcaigh! Bhí aithne ag an Ghealbhánach ar bhean amháin acu a tháinig óna cheantar féin. Deirfiúr an fhir a bhí ina Ard-mhéara ar Chorcaigh i ndiaidh báis Mhic Curtáin—Traolach Mac Suibhne. Thug siad cuairt eile ar na hÍosánaigh, agus bhí an comhrá níos ardaithe an iarraidh seo. An cheist dhofhreagartha, cé acu ab fhearr, an soiscéal a scaipeadh i measc na ngnáthdhaoine nó béim a chur ar oideachas i measc na ndaoine a raibh foghlaim acu, nó b'fhéidir an dá rud le chéile? Leis an chothú intleachta seo d'imigh siad síos go Kobe agus chuaigh ar bord an Yawatu Maru.

Sheol siad siar—nó arbh é go raibh siad ag seoladh soir? Ba dheacair cuimhneamh air. Ach ar an 16ú Meitheamh, 1920, chonaic siad dath na farraige móire ag athrú ó ghorm nó glas go salach-bhuí, agus dúirt an Gealbhánach gurbh í seo Farraige na Síne. Gan mhoill bhí báid bheaga de gach uile chineál cruinn thart ar an long. Bhí siuncaí ann, dhá shúil mhóra péinteáilte ar na tosaigh; bhí sampáin ann fosta, agus gach uile chineál seoil. Chonaic siad Woo Sung, sráidbhaile ag béal an Yangtse, agus chuaigh suas an abhainn. Bhí sí chomh buí leis an fharraige mhór. Ar gach taobh chonaic siad céanna agus tithe stóir agus fógraí móra scríofa sa tSeapáinis. Ansin, go tobann, tháinig sampán eile amach le cábla ábhalmhór. Caitheadh ar bord é, agus ar a haon déag a chlog bhí an triúr misinéirí ar thalamh na Síne faoi dheireadh.

Nuair a tháinig siad amach as teach na gcustam bhí scata beag ag fanacht le fáilte a chur rompu. Tamall roimhe sin chuir an tAthair Ó Bláthmhaic aithne ar Iognáid Ying, an t-aon Síneach Caitliceach a bhí ag déanamh staidéir i Londain, agus fostaíodh é le Sínis a theagasc do na mic léinn i nDealgán. Bhí an fear óg seo ar ais ina thír féin anois, agus rinne sé an turas sé chéad míle ó Pheking go Shanghai i gcuideachta a athar, Uinseann Uasal Ying, le fáilte a chur roimh na sagairt. Bhí cairde eile ann, Nioclás Tsu agus Lo Pa Hong, Caitlicigh chlúiteacha sa Domhan Thoir. Tháinig fáilte eile ón Bhráthair Faust as Baile Átha Cliath, mar theachta ó na Bráithre Máireacha a bheadh ina n-óstóirí ag na hÉireannaigh i Shanghai.

Ba le Lo Pa Hong trambhealach Shanghai agus a lán tithe tráchtála agus gnó. Fear an-saibhir a bhí ann. Tugadh " Uinseann de Pól na Síne " air, cionn is go raibh sé fláithiúil le hospidéil agus le dílleachtlanna an cheantair. Ba ghnách leis dul thart ar na bardaí sna hospidéil phoiblí ar lorg naíonán a bhí le bás chun go mbaistfí iad. Deirtear go raibh na mílte acu sin ann. Deirtear freisin gurbh í a aspalacht speisialta na daoine bochta a daoradh chun báis. Gnóthach is mar a bhí sé " chlúdaigh sé an triúr Éireannach le mil." I ndiaidh a dtabhairt go Coláiste na Máireach tháinig sé ar ais tráthnóna agus thaispeáin an chathair dóibh. Ar maidin lá arna mhárach, ar leath i ndiaidh an seacht, bhí a ghluaisteán ag an doras lena dtabhairt go hOspidéal Naomh Iósaf faoi choinne Aifrinn. An oíche chéanna bhí dinnéar galánta aige dóibh ina theach féin. " Anraith nead éin " an chéad chúrsa a cuireadh rompu, agus ansin eití siorc, agus corradh le fiche cúrsa eile ! Sular fhág siad an teach bhí urnaithe na hoíche acu thuas ina shéipéal príobháideach, agus canadh an tAve Maria agus an Salve Regina i Laidin.

Ó tharla nach mbeadh an galtán ag dul suas an Yangtse go dtí an 22ú Meitheamh, bhí a ceathair nó a cúig de laethanta saor acu. Chuir siad isteach na laethanta sin ag cur eolais ar staid na hEaglaise i Shanghai agus ag ligean a n-aithne leis na cumainn mhisinéireachta eile a bhí ann. Nuair a chuala Éireannaigh na cathrach go raibh na misinéirí nua ann, tháinig scata acu ag gealladh " Scoláireacht Shanghai-Éireannach " a bhunú, agus chuir siad tús iontach ar na síntiúis le tuarastal míosa an duine. Thug siad cuairt ar Zikawei, réadlann faoi chúram na nÍosánach, ar imeall na cathrach, agus fuair siad Ciarraíoch mar threoraí, an tAthair Máirtín Ó Cionnfhaolaidh. Is ceart a rá go raibh scéalta aisteacha ag dul timpeall faoi dhúchas agus aidhmeanna an chumainn nua, agus rinne an triúr a ndícheall leis an fhírinne a chraobhscaoileadh. Is ceart fosta a rá gur chuir an chuid is mó de na procures fáilte rompu ionann is dá mba a ndeartháireacha féin iad.

Scríobh an tAthair Ó Bláthmhaic cuntas ar an turas a bhí acu suas an Yangtse, agus mar chuntas finné súl is fiú mórán é. Sheol siad i dtrátha an mheán oíche an 22ú Meitheamh:

" Tá an Yangtse an-leathan ar fad. Tá sé deacair achar a thomhas ar an uisce, ach déarfainn go bhfuil sí a dó nó a trí de mhílte ar leithead in áiteanna. Uaireanta bíonn an galtán istigh in aice leis an bhruach, agus uaireanta eile amuigh i lár na habhann nó ag druidim leis an bhruach thall. Tá an abhainn chomh buí agus is féidir le habhainn chneasta a bheith. Ní fhéadfadh an Tibir nó an Hoang Ho, an " Abhainn Bhuí " féin, féachaint idir an dá shúil ar an Yangtse agus a mhaíomh gurb iadsan atá buí. Tugann sí an t-uafás den chré bhog bhuí sin anuas ón cheantar máguaird léi agus caitheann amach san fharraige mhór é—sin an fáth go bhfuil an fharraige ag béal an Yangtse, i ngach aird, chomh buí moirtiúil leis an abhainn féin, agus is mór an focal é sin.

" Tá an tír go huile anseo iontach cothrom, agus níl mórán daoine ina gcónaí nó ag obair ann, ach amháin go bhfuil sráidbhailte beaga iascairí anseo is ansiúd i measc na gcrann ar imeall an uisce. Anois is arís feicimid cnocáin bheaga thonnacha, agus b'fhéidir oileán i lár na habhann.

" Tá na galtáin seo iontach mór agus is féidir le fiche paisinéir den chéad ghrád dul i dTeascán Eorpach, ach tá acmhainn iompair acu do dhosaenacha sa dara grád agus do chéadta sa stírís. Tig na Sínigh ar bord sa stírís i ngach uile phort, anrud acu. Is iad na comhluadair mhóra anseo a íocann astu. Amanna ní dhéanann an galtán ach mallghluaiseacht agus leis sin tagann na siuncaí agus na sampáin anall lena taobh. Ceanglaíonn siad na báid bheaga don ghaltán, agus ar aghaidh leo tríd an uisce buí. Léimeann na daoine amach is isteach go tiubh i mbarr reatha agus gach scread astu !

Nuair a théimid isteach go dtí an ché, mar a rinneamar i Nanking, bíonn an ché beo le daoine. Bíonn siad cuachta istigh sna scáláin nó i ngreim sna rópaí agus sna cáblaí. Uair amháin bhí mé lánchinnte go bhfáiscfí an t-anam as cuid mhór acu nuair a bhí an galtán ag druidim leo, ach nuair a bhí sé idir sé agus ocht dtroithe ón ché léim siad ar bord idir fhir agus mhná agus pháistí. Bhí cuid acu ina bpaisinéirí ach ba mhó arís an díocas a bhí ar an chuid nach raibh, ach a raibh earraí le díol acu. Bhí gach sórt toraidh leo, mealbhacáin, bananaí, oráistí agus gach uile chineál. Scaoileadh amach na paisinéirí—sea, scaoileadh is cóir a thabhairt air. Sheas duine nó beirt ar na céimeanna, fuair greim ar na daoine bochta agus chaith isteach sna báid iad nó suas ar an ché. I gceann tamaill, ar aghaidh linn arís, gach rud mar a bhí. Bíonn an gleo, an bhéiceach is an ghliogarnach go fíochmhar ar ocáid mar seo. Ní féidir cur síos air in éagmais tionlacan gramafóin le hanam a chur sa phictiúr. Agus an saol a chaitheann na Sínigh isealchéime ! Cuireann siad isteach an lá go huile ina luí in íochtar an ghaltáin, i bhfogas seomraí na n-inneall, agus, bíodh a fhios agat, é céad céim teochta in airde ar an deic. Ólann siad tae, caitheann siad codlaidín, agus thar gach ní imríonn siad geallta an lá ar fad. Imríonn siad cluiche éigin le cártaí, sórt dúradáin, agus is iontach an méid airgid a chailleann siad ar an chluiche seo.

Maidir leis an chodlaidín, tráthnóna amháin bhíomar ag féachaint orthu tríd an spéirléas ar feadh tamaill mhaith. Bhí seandiúlach amháin ina shórt taistealaí tráchtála. Thugadh seisean an truflais seo amach ina mhionmhiosúr, ar mhéid pise, agus thugtaí dollar dó. Ghlacadh fear eile é agus chuireadh sé é ar phointe snáthaide cosúil le biorán cniotála. Ansin thóstáladh sé é i mbladhaire lampa ola ar feadh tamaillín—bhí na giúirléidí go léir acu, tá a fhios agat—agus i ndiaidh é a chur i gcloigeann beag a phíopa thosaíodh an caitheamh. Anois is arís, agus iad ag caitheamh leo, d'óladh siad slogóga móra tae agus luíodh siar ar binsí. I rith na hoíche ba leapacha na binsí seo, áit a mbíodh siad ina luí mar a bheadh sairdíní ann.

B'fhéidir san oíche go rachaimis isteach go dtí cé éigin arís, nó bheimis ag mallghluaiseacht, agus thosaíodh an bhéiceach, an ghliogarnach. Ó bhreacadh an lae ar maidin bhíodh siad ina luí síos agus tar éis béile gasta ríse agus tae ar ais arís chuig an chearrbhachas agus an caitheamh codlaidín. . ."

Nuair a tháinig an galtán a fhad le Kiukiang bhí sos uaire ag na paisinéirí agus chuaigh an triúr Éireannach i dtír. Bhuail siad isteach in ospidéal miseaneach ansin agus rinne comhrá le bean rialta eile as Éirinn. Ní raibh siad rófhada anois ó dheireadh an turais, agus thart faoi a naoi a chlog an mhaidin chéanna bhí siad ar an ché i Hankow.

Chuaigh siad díreach go teach na bProinsiasach Iodáileach a bhí i mbun an réigiúin thart ar Hanyang go dtí seo. Bhí an tEaspag Gennaro agus a bhiocáire ginearálta ar thuras cigireachta ag an am, ach d'fhág siad an prócadóir, an tAthair Covi, chun aire a thabhairt do na hÉireannaigh. Dúirt seisean go raibh lóistín faoina gcoinne i Hanyang. Ní raibh an áit rómhaith, ach ní raibh ní b'fhearr le fáil. Chuidigh roinnt bheag príomh-Chaitliceach as Hanyang leo trí theach a fháil. Tógadh na tithe seo ag teilgcheárta Hanyang do na hoibrithe coimhthíocha. Faoi láthair bhí siad folamh, ach níor cinntíodh aon rud go dtí go bhfeicfeadh na hÉireannaigh féin iad.

Bhí teach an easpaig agus an chliarscoil ar an taobh eile den Yangtse, i Wuchang, agus lá arna mhárach chuaigh siad trasna. Casadh orthu ansin seanfhear iontach a raibh caoga bliain déanta aige ar na misin sa cheantar. Casadh orthu fosta an proibhinsial, nó uachtarán áitiúil na bProinsiasach. Ar chaoi éigin tharla go raibh cúpla cóip de *The Far East* léite aige, agus bhí sé iontach ciniciúil faoin " taobh fhileata " díobh. Ba léir nár thuig sé na Gaeil.

" A dhaoine uaisle," ar seisean go maorga eolach, is mian liom comhairle bheag a thabhairt daoibh. Ní bhfaighidh sibh aon fhilíocht sa tSín. Ní bhfaighidh sibh ach deacrachtaí agus rís."

Dúirt sé freisin nach raibh sé féin ná a chuid confréres róshásta le miontuairiscí na scéime seo a dhéanfadh dhá chuid den cheantar a bhí acu. Imníoch i gceart a bhí siad faoin dúiche Ngan Lu agus Mienyang, mar b'astu sin a thagadh tromlach a gcuid mac léinn. Thug an tAthair Ó Gealbháin agus an tAthair Ó Bláthmhaic míniú beacht dó ar a gcuid imeachtaí, sular scar siad leis—" Roma locuta est," agus mar sin de. Ba dhoicheallach an scaradh é. Blianta ina dhiaidh seo dúirt an Gealbhánach: " Ní raibh an *Fra* ach leathcheart. Amanna ní raibh aon rís ann ! "

An tráthnóna céanna chuaigh siad trasna go Hanyang chun na tithe úd a fheiceáil. Turas gasta a bhí ann sa tsampán, ach ba chosúil é le léim ar gcúl go haimsir Ur na gCaildéach. Ar imeall an uisce bhí na tithe tógtha ar bharr pílí, iad chomh tiubh sin nár léir in aon chor cá raibh a dtús nó a ndeireadh. Thíos faoi na tithe bhí an t-uisce glas bréan marbh ag slaparnaíl agus ag sruthlú go spadánta. Bhí cuma air go raibh frigh agus damhna gach aicíde ann. Rith gach saghas báid thart gan aird, agus bhí an t-aer lán de ghleo agus d'argóintí, daoine ag díol agus ag ceannach agus ag déanamh rí-rá ceart.

Bhí beirt fhear ag feitheamh leo ar an ché shleamhain, an Dochtúir Chan, Caitliceach a bhí i mbun ospidéil bhig theilgchearta Hanyang, agus a chúntóir, Mr. Ren. Thosaigh siadsan a chur síos ar an cheantar. Tógadh an phríomhchathair ar bharr cnoic, agus bhí balla mór ard timpeall uirthi. Bhí an balla sin chomh leathan go dtiocfadh le triúr nó ceathrar siúl gualainn ar ghualainn air. Rith an balla oirthearach i gcomhthreo leis an Yangtse agus bhí geata ábhalmhór ann, an Tung Men (An Geata Oirthearach). Díreach ón gheata seo bhí sráid fhada tríd an chathair go dtí an Hsi Men (An Geata Iartharach). Rinneadh na geataí móra seo d'adhmad, buailte le boltaí troma iarainn, agus bhí saighdiúir ina sheasamh ar garda orthu. In áiteanna bhí na ballaí daichead troigh ar leithead, nach mór. Taobh amuigh den Gheata Iartharach, agus timpeall ar an bhalla, bhí cathair eile ina raibh corradh le cúig mhíle tríochad duine ina gcónaí. Míle go leith ar aghaidh, bhí an tríú cuid de chathair Hanyang, ar imeall na habhann Han. D'fhás an chathair seo timpeall na teilgcheárta agus na harmlainne. Taobh thiar de sin bhí cnoc a dtugadh siad Cnoc na Tortóise air, agus pagóda maorga ar a mhullach.

Ghluais siad uile tríd na sráideanna. Bhí an tráthnóna ann agus bhí gach áit plódaithe le daoine leathnochta. Bhí na gasúir bheaga ina gcraiceann ar fad, mar ba é an séasúr te a bhí ann agus bhí an chathair plúchta bruite.

B'as áiteanna éagsúla in Éirinn don triúr sagart, deisceartach, iartharach agus tuaisceartach, ach chonaic siad rudaí an tráthnóna seo nach bhfaca " an dara fear sa ghleann." Cad é mar thuigfeadh siad an teanga—an ghliogairnéis seo—choíche ? Maidir leis na mná, bhí a gcuid gruaige ar dhath an phréacháin, í vearnaiseáilte agus lúbtha. Chonaic siad muca ag scréachaíl is ag únfairt sa dusta, cearca agus sicíní i mbara rotha a raibh ceithre troithe de roth air, seanbhean ag dul thart ar ghuaillí a mic láidir. Mhothaigh siad an boladh ar leith sin a bhaineann le cathracha na Síne, an chumhracht mhín as siopa na luibheanna, an boladh láidir ón bhia a bhí á fhriochadh go domhain i saill agus i spíosraí. Ach thar an iomlán agus, leoga, tríd an iomlán agus taobh thiar de, fuair siad bréantas stálaithe an chaca.

Bhí an tsráid seo chomh caol go bhféadfadh duine, in áiteanna, lámh a leagan ar an dá thaobh in éineacht. Bhí an t-aos óg ag déanamh folachán, nó ag preabadh cearca colgacha ar a sála go hoilte. Bhí fir na siopaí cócaireachta ag díol borróga agus bonnóga galbhruite i ndiaidh a mbriseadh le casúr is siséal, agus anseo is ansiúd bhí na bearbóirí ag bearradh blagadán le rásúir mhóra, agus na " coolies " ag scréachaíl " Hé yah, hai yah ! " chomh rialta le rithim na cuisle.

Sa deireadh bhain siad na tithe amach agus chonaic go ndéanfadh siad cúis—go cionn tamaill, ar chuma ar bith. Dhá theach a bhí ann, sé nó seacht de sheomraí agus cúpla urlár i ngach ceann acu, agus cuma ar na seomraí go raibh siad fionnuar compordach. Shocraigh siad ar an chíos le stiúrthóir na teilgchearta, caoga dollar sa mhí ar feadh sé mhí, agus le teacht na hoíche bhí a gcéad bhaile sa tSín ag misinéirí Naomh Colmán. An lá arna mhárach chuir siad cáblagram chuig na baill eile i Meiriceá, ag rá leo teacht gan mhoill, agus idir an dá linn thosaigh an tAthair Mac Póilín ar obair an tí.

NÍ hEOL DOM AON DÚTHAIGH

ÓS rud é nach raibh an tEaspag Gennaro ar ais arís go fóill mheas an tAthair Ó Gealbháin agus an tAthair Ó Bláthmhaic gur mhaith an rud glacadh leis an chuireadh a thug Mr. Ying dóibh i Shanghai agus dul díreach go dtí a chathair féin, Peking. B'fhearr leis an bheirt fánacht i Hanyang ar feadh tamaill, mar bhí siad tuirseach i ndiaidh an turais agus bhí an aimsir chomh te sin. San am céanna ba chumhachtach an fear Mr. Ying, agus bheadh seisean in ann iad a chur in aithne dá lán daoine cumhachtacha eile, rud a bheadh fíorthábhachtach sna laethanta a bhí le teacht.

Maidin amháin, i dtús mhí Iúil, chuaigh an bheirt acu ar an traein go Peking. Bhí an stáisiún i Hankow ina ghuairneán rósta, ach amuigh faoin tír bhí sé níos fearr, agus i rith na hoíche d'éirigh leo codladh " nach mór " faoi aon bhraillín amháin. Tháinig an teas millteanach arís leis an mhaidin agus iad ag luathú tríd an bhlár folamh ina raibh na daoine ag obair ar an choirce.

I dtrátha na mheán lae tháinig sagart eile ar an traein, ar a bhealach go misean beag éigin amuigh i lár na tíre. Nuair a stop an traein ag a stáisiún, bhí scata óganach, a chuid Caitliceach, ag feitheamh le fáilte a chur roimhe. Chuaigh an Gealbhánach amach as an traein agus cuireadh in aithne dóibh é. Ar an nóiméad chuaigh siad uile ar a nglúine agus, cé go raibh an ghrian ag scalladh anuas ar na cinn nochta, d'iarr siad beannacht an Ghealbhánaigh. Fuair siad amharc eile ansin ar mhodh taistil a n-éireodh siad cleachta leis amach anseo. Cuireadh an sagart ina shuí i gcathaoir gharbh, thóg giollaí suas ar a nguaillí é agus d'imigh leo go bródúil i dtreo an tsráidbhaile.

Shroich siad Peking ar an Domhnach, i ndiaidh sé huaire tríochad de thuras a chur díobh, agus bhí an dá Ying agus a gcairde rompu ag an stáisiún. Rinneadh Críostaí de Mr. Ying tríocha bliain roimhe sin, trí shompla Shiúracha na Carthanachta san ospidéal i bPeking agus iad ag déanamh banaltrachta ar a fiancée. Ina dhiaidh sin tháinig an teaghlach uile isteach san

Eaglais, a bhean chéile, a athair, a mháthair is a dheirfiúracha. Ar feadh tamaill bhí sé ina mhandairín agus ina dhiaidh sin ina eagarthóir ar nuachtán údarásach ina míníodh sé prionsabail Chaitliceacha. Nuair a d'éirigh sé as an obair sin bhunaigh sé scoileanna agus tionscail síoda do chailíní—rud nua ar fad sa tSín. Bhí sé ina chara cléibh ag an Uinseannach clúiteach sin, an tAthair Uinseann Lebbe, a raibh an tuairim aige gur " Eaglais coolies " a bhí in Eaglais na Síne agus go raibh sé d'fhiacaibh orthu elite intleachtach a oiliúint ar fud na tíre, ionas go meallfaí daoine meabhracha isteach sa tréad.

I gcuideachta an dá Ying chuaigh na hÉireannaigh go teach na nUinseannach Éireannach, an áit a mbeadh siad ar loistín. Casadh orthu an Monsignor Jarlin, biocáire aspalda Pheking, a raibh roinnt smaointe suimiúla aige. Bhí sé ar eolas aige seo go raibh barraíocht earcach ag an chumann nua in Éirinn—barraíocht le láimhsiú san am i láthair. Cad chuige nach gcuirfí an fearasbarr acu go Peking? Nó chuig na hUinseannaigh i bPáras? Ach mheas an bheirt Éireannach go n-oibreodh a muintir féin níos fearr dá mbeadh siad i gcuideachta a chéile. " Dream clannach sinne ! " Agus bhí siad ar aon intinn nár cheart barraíocht misnigh a spreagadh i gcroí an Mhonsignor ar an bhealach sin. Chuir siad na laethanta eile isteach ag fáil eolais ar gach uile chineál ceiste, nó gur cuireadh deireadh leis an chuairt mar a leanas:

Bhí sé leagtha amach acu cruinniú mór a bheith acu le caoga duine údarásach a raibh baint éigin leis an Rialtas Síneach acu. Cúpla lá roimh an chruinniú, faraor, tháinig scéala gur bhris an tUachtarán as a phost duine darbh ainm " Hsu Beag "—ceannasaí cosanta na teorann. Ba dhuine an-chlúiteach Hsu Beag, agus bhí gach duine ag rá go mbeadh trioblóid ann, b'fhéidir creachadh agus círéib. Bhí cuid de na daoine ar a mbealach cheana féin go dtí an " Foreign Concession " i dTientsin. Fuair Mr. Ying litreacha óna chairde go raibh siad " meath-thinn," agus b'éigean an dinnéar agus an cruinniú a chur ar ceal. D'fhan na hÉireannaigh tamall, ag súil go rachadh an trioblóid thart, ach sa deireadh ní raibh le déanamh acu ach aghaidh a thabhairt ar Hankow arís go bhfeicfeadh siad an raibh an tEaspag Gennaro sa bhaile agus cad é mar bhí ag éirí leis an Athair Mac Póilín.

Ach ní raibh an turas ar ais chomh furasta sin. Bhí an bóthar iarainn ó dheas i lámha na saighdiúirí, agus bhí an ceann eile go

Nanking agus Shanghaí ina dhá chuid. Chuaigh siad ar an traein go Tientsin, ag súil go bhfaigheadh siad bád go Shanghai. Chonaic siad saighdiúirí ag gach stáisiún, agus anois is arís cuardaíodh an traein, ach ní dhearnadh aon dochar do na sagairt. Ní raibh siad in ann bád a fháil go ceann cúig lá nó mar sin, agus bhí siad tuirseach i gceart ag dul suas an Yangtse don dara huair in aon mhí amháin. Ba mhór an t-athrú a tháinig ar an abhainn le linn na míosa sin. Bhí an sneachta á choscairt faoi ghrian an tsamhraidh thuas sa Tibéid anois, agus bhí an abhainn ina tuile throm. Taobh thuas de Nanking bhí cuid mhór de na tithe faoi uisce. Anseo is ansiúd bhí créatúr bocht éigin ag grafadh ríse ar bharr cnoic bhig agus bád lena thaobh. Créatúr eile ag scoilteadh bataí bambú agus á gcur ina seasamh droim le taobh-bhallaí a phrochóige lena dtriomú, agus cé aige a raibh a fhios nach mbeadh siad uile ar snámh an lá arna mhárach ?

Nuair a bhain siad Hanyang amach thug siad faoi deara go raibh obair mhór déanta ag an tuaisceartach ó chonaic siad go deireanach é. Bhí an séipéal agus an sacraistí i gcaoi mhaith aige, agus cuma ar na seomraí go mbeadh siad " chóir a bheith chomh maith leis an bhaile nuair a bheadh sé réidh leo." Tar éis béile maith fuair siad rud nach raibh acu sa tSín go dtí sin, cupán deas tae. Sula ndeachaigh siad a luí d'éist siad le foireann an tí ag cantaireacht an Phaidrín. A fhad is a bhí siad ag éisteacht bhí an Póilíneach ag trácht ar dhualgais na foirne iontaí seo. Ar an chéad dul síos, bhí an cócaire ann. Ansin an " buachaill " a d'fhriotháladh bord agus Aifreann, agus a bhí ina ambasadóir dóibh leis na siopadóirí agus na bádóirí, agus mar sin de. Ba ghnách leis fean a iompar. " Iompraíonn na giollaí gach uile rud eile." arsa an Póilíneach. Bhí fear eile ann, an compradore nó an stíobhard, a raibh Fraincís agus Béarla aige; cineál de stiúrthóir oibreacha a bhí ann.

An chéad mhaidin eile chuaigh an tAthair Ó Gealbháin agus an tAthair Ó Blathmhaic trasna go Wuchang le litir a thabhairt don easpag, ag rá go raibh cead ón Róimh acu tús a chur ar an obair i gceantar Hanyang. Bhí an teagmháil cineál doicheallach ar dtús. Ní raibh an tEaspag Gennaro ach i ndiaidh teacht abhaile, tar éis turais fhada thuirisúil thart ar a mhisean, agus seo iad na banditti as Éirinn a bhí ar tí a Chaitlicigh i Ngan Lu agus i Mienyang a ghoid. D'admhaigh sé gur iarr an Chathaoir Naofa a chomhairle, agus gur tugadh í go hoscailte, agus ó tharla nár aontaigh an Róimh leis an easpag,leoga, Roma locuta est. . . Ba léir óna chaint nár aontaigh sé le barúlacha Mr. Ying agus an Athar Lebbe. Bhí coláiste aige féin i Wuchang, agus ní dhearna sé faic le págánaigh a thabhairt isteach san Eaglais. De réir mar a dúradh sa Róimh chaithfí an bhéim a chur ar oideachas—agus sa chás seo fosta, Roma locuta est. . . Ar eagla go mbeadh aon mhíthuiscint ann chuir an tAthair Ó Bláthmhaic ceist lom air cad é an dearcadh a bheadh aige dá dtiocfadh bráithre agus siúracha isteach i scoileanna Hanyang. Ní dhearna an t-easpag ach lámh a chur ar an litir ón Róimh agus a rá nárbh fhéidir leis diúltú. Ní raibh stad ná stopadh orthu cibé rud a ba mhian leo a dhéanamh. Thug seo gach uile rud chun críche go sásúil, agus d'fhill an bheirt Éireannach go Hanyang.

Bhí na corrmhíoltóga iontach gníomhach anois i sráideanna cúnga Hanyang, agus bhí an teas 108° ar an scáth. Níor chaith an tAthair Ó Bláthmhaic ach pitseámaí agus giosáin bhána agus é ag clóscríobh rialacha don chumann nua. Bríste bán línéadaigh an t-aon bhall éadaigh a bhí ar an Ghealbhánach thart faoin teach, agus scríobh a chompánach ina dhialann: " Is é an eorna nua é." Bhí mata éadrom bambú leagtha ar spriongaí na leapa, agus chomh luath is a luíodh ceachtar acu síos thagadh an t-allas amach ina shruth. Chuir seo tús le bruth a bhí fíornimhneach ar fad. Taobh amuigh den teach bhí balla ard coincréiteach, agus bhí an cosán ón doras síos go dtí an balla scallta bruite, fiú amháin ar a deich nó a haon déag a chlog san oíche. D'fhág sin nach dtéadh aon duine acu a luí go mbíodh sé domhain san oíche.

Oíche amháin chuaigh an tAthair Mac Póilín a luí go measartha luath, agus d'fhan an bheirt eile ina suí ag caint faoin dóigh ab fhearr leis an séipéal agus an sacraistí a chur in eagar. Thart faoin dó a chlog ar maidin bhí an Gealbhánach ag rá gur adhmad darach a bhí san altóir, agus chuir a chomrádaí ceist air:

" An dóigh leat, a Ned, go mbeidh na hurláir seo láidir go leor ? Ná déan dearmad go mbeidh cuid mhaith troscáin thuas ansin, agus sé dhuine dhéag—ochtar in éineacht ag léamh Aifrinn, agus ochtar eile ag friotháil."

Tháinig dath geal bán ar an Ghealbhánach agus fuair sé greim ar choinneal agus las í.

" Cén áit a bhfuil tú ag dul ? "

" Tá mé ag dul suas an staighre go bhfeice mé cad é chomh trom is atá an ——— altar sin."

Suas leis, agus i gceann cúpla nóiméad scairt sé anuas, " Ceart go leor," agus tháinig ar ais agus aoibh air go dtí an dá chluais.

" Tá sí ceart go leor, a Sheáin. Dair Shíneach atá ann—chomh héadrom le clár déile."

Fuair siad amach nach raibh a sáith spáis acu agus go mbeadh sé d'fhiacaibh orthu teach eile—an ceann in aice leo—a cheannach, rud a rinne siad.

Ar an 2ú Lúnasa d'fhág an tAthair Ó Bláthmhaic Hanyang, ar a bhealach go Shanghai agus an Astráil. An t-amharc deireanach a fuair sé ar a bheirt chomhÉireannach, bhí siad ina seasamh le taobh an uisce ina n-éide bán Síneach agus an dorchadas ag titim thart orthu. Sular fhág sé an tSín scríobh sé ar ais chuig an Athair Ó Gealbháin faoi thairiscint shuimiúil a fuair sé ón Mhonsignor Pozzoni, Easpag Hong Kong. Bhí an rialtas coilíneach i ndiaidh ollscoil a chur ar bun ansin, agus iarradh ar an easpag iostas do Chaitlicigh a stiúradh. Bhí ardspéis ag an easpag sa scéim, ach ní raibh mórán Béarlóirí ina cheantar agus ba chonstaic mhór í sin. B'fhéidir go dtiocfadh leis an mhisean ó Mhá Nuat beirt shagart a chuir chuige leis an iostas a riaradh. Dúirt an Rúnaí Coilíneach, Mr. Fletcher, nach mbeadh aon deacracht faoi airgead. D'fhéadfaí é a thógáil ar ús. Bheadh an láithreán tógála le fáil beagnach in aisce. Fuair dream Protastúnach éigin corradh le 100,000 dollar le gairid agus bhí na hiostais eile ag carnadh airgid—níos mó ná 3,000 dollar sa bhliain.

Ba dheacair glacadh leis an tairiscint. Bhí 5,000,000 de líon daoine sa cheantar misinéireachta seo a tugadh don chumann nua. Ní raibh aon teach pobail i gcathair Hanyang, ná mórán eile sa dúiche timpeall. Bheadh an chéad scata de na misinéirí nua ag teacht i dtír i Shanghai lá ar bith anois, agus bheadh siad anghníomhach go ceann tamaill ag foghlaim Sínise, agus mar sin de. Ba dheas ón easpag an tairiscint a dhéanamh, ach ní raibh an Gealbhánach sásta. Mheas sé go raibh go leor idir lámha acu sa chathair ársa seo ar bhruach an Han.

Fuarthas litir ón Athair Ó Gealbháin maidin amháin in Éirinn, ag cur síos go beacht ar imeachtaí Hanyang:

" Tá na tithe réidh anois ach sa bheag, agus tá na searbhóntaí ag iompar an troscáin isteach gach lá. Bíodh eolas agaibh ar an scuab sciúrtha, pacálaigí bhur málaí agus tagaigí, mar tá sibh ag teastáil go géar uainn. Tá neart fairsinge sa tseomra bia faoi choinne sé dhuine dhéag, trí aireagal agus ocht n-altóir. Beidh seomra faoi leith ag gach sagart. Tá Hanyang timpeall orainn ar fad. Thall ar clé tá Cnoc an Phagóda—radharc álainn. Beidh na sagairt anseo ar an 24ú lá. Beidh mise ar an ché rompu agus rachaimid trí chéad slat suas an abhainn go dtí ar mbaile nua. Beidh an dinnéar réidh, agus beidh scíth agus caint againn agus greim le hithe ó am go ham, agus beidh trua an domhain againn do na créatúir bhochta a daoradh le fanacht i nDealgán. . . Cuimhnígí cér díobh sibh ! ”

103° ar an scáth a bhí sé nuair a bhain an bhuíon bheag misinéirí cé Hanyang amach. Bhí siad go léir ag bárcadh allais go trom faoi chaipíní dubha, cótaí móra agus rugaí taistil, agus iad ag éad leis an Ghealbhánach ina shútán éadrom bán. Thosaigh duine amháin acu, an tAthair Ó Reannacháin, a ghlacadh pictiúr ar chineamatagraf agus iad ag dul isteach sna ricseánna. Ar aghaidh leo go Bai Ya Tai, a mbaile nua. Is ceart anseo tuairisc a thabhairt ar ainmneacha an scata seo—na ceannródaithe:

Alfonsus Mac Fearghusa (Doire)
Risteard Ó Reannacháin (Dún is Coinnire)
Seán Ó Briain (Corcaigh)
Tomás Ó Caoinleáin (Caiseal)
Tadhg Lionard (Luimneach)
Maitiú Ó Dubhláin (Cill Mhór)
Mícheál Mac Aoidh (Ráth Bhoth)
Artúr Mac Aonghusa (Corcaigh)
Conchubhar Ó Tiarnaigh (Clochar)
Liam Ó Floinn (Corcaigh)
Seosamh Mac Crosáin (Doire)
Seán Dásan (Port Láirge)
Mícheál Mee (Clochar agus na Stáit Aontaithe)
Éamann S. Ó Dochartaigh (Ráth Bhoth)

Go luath i Meán Fómhair, 1920, tháinig scéala ón bhaile gur maraíodh Mícheál, deartháir an Athar Uí Ghealbháin, i luíochán ag Ardachaidh, Co. Chorcaí. Bhí sé ina mháistir ceathrún i gComplacht Chill Mhuire, Óglaigh na hÉireann, agus fuair sé bás an 22ú Lúnasa. Bhí sé naoi mbliana is fiche d’aois. Thógadh sé sé seachtaine ar litreacha a theacht as Éirinn go Hanyang an t-am sin; ach má scríobhadh " via Siberia " orthu, ní thógadh sé ach trí seachtaine. Ba é an cás céanna é ag nuachtáin, agus de réir a chéile d'imigh na hÉireannaigh Shíneacha ó eolas ar imeachtaí an bhaile. Léigh an tAthair Ó Gealbháin Aifreann ar son anama a dhearthár, ar son an teaghlaigh agus na máthar a d'fhág Mícheál ina dhiaidh, agus chuaigh ar ais chuig a chuid oibre.

Cén obair a bhí roimhe ? Bhí corradh le seacht míle míle cearnach de limistéir tíre faoina chúram, isteach agus amach le méid Chúige Mumhan, ach bhí níos mó ná cúig mhilliún duine ina gcónaí ann. Bhí cúig chéad míle acu ina gcónaí i gcathair Hanyang—baile níos ársa ná an Róimh féin. Cé nach raibh aon teach pobail sa chathair, bhí 120 Caitliceach nó mar sin inti, agus 14,000 eile ar fud na dúiche, sna bailte móra agus sna sráidbhailte, ó cheantar cothrom Mienyang sa deisceart go dtí na sléibhte sa tuaisceart.

Talamh méith dearg a bhí sa cheantar chothrom sin, nach bhfaighfeá oiread is cloch amháin ann. " Fan go raibh sé ag rolladh i gcré dhearg Mienyang ! " a deireadh an Gealbhánach go gealgháireach, nuair a cluineadh sé go raibh misinéir nua ag teacht a raibh céim álainn ollscoile aige. Siocair na dtuilte, tógadh mótaí móra ar airde seomra agus ar leithead bóthair. Ní raibh " bóthar " ar bith eile sa cheantar ach barr na mótaí seo a bhí ag síneadh amach go bun na spéire ar gach taobh. Bhí na sráidbhailte go huile cruinnithe ar an airdeacht, ar dhóigh gur dheacair a dhéanamh amach, amanna, cá raibh a dtús nó a ndeireadh.

Thíos faoin th'ee (an móta) bhí an Kai Shen (an machaire) ina raibh cruithneacht, eorna agus cadás ag fás. Ba chosúil le clár táiplise é. Ní raibh na bóithre chomh " maith " thíos sa Kai Shen; cosáin bheaga nach raibh ach troigh ar leithead nó mar sin. Is fíor a rá gur mheas na hÉireannaigh, ó am go ham, go raibh siad ar ais arís in aimsir Abram agus Ur.

An chéad Domhnach i Hanyang, tháinig triúr fear agus beirt ghasúr ag iarraidh Aifreann a éisteacht. Tús measartha a bhí ann. Ach tamall ina dhiaidh sin cuireadh spreagadh iontu nuair a tháinig cúpla toscaireacht anuas an abhainn i siuncanna agus i sampáin, ag iarraidh ar na sagairt dul ina measc. Tháinig ceann amháin acu ó cheantar a bhí céad míle ó Hanyang, áit a raibh roinnt pobal Caitliceach (" Christianities ") bailithe le chéile. Ina dhiaidh sin tháinig toscaireacht eile ó " uaisle " Hanyang á fhiafraí den Athair Ó Gealbháin an mbeadh na hÉireannaigh toilteanach dul i gcionn mórscoile nua a bhí tógtha acu. Sula raibh sé in ann an achainí sin a fhreagairt bhí achainí eile chuige ón fhear a bhí os cionn na teilgchearta. Bhí scoileanna tógtha aigesean do dhá mhíle oibrí—arbh fhéidir go dtiocfadh le . . . ? Arsa an Gealbhánach leis féin: " Cá mhéad sagart a mheasann siad atá agam ? "

Ar an 24ú Deireadh Fómhair, fuair siad an chéad iompaitheach. Mr. Wang an t-ainm a bhí ar an Chríostaí úr, cara cléibh Mr. Ying, ollamh le Sínís i nDealgán sa bhaile. I ndiaidh an bhaiste, baineadh macalla as ballaí an aireagail le plimp agus clagarnach na dtinte ealaíne a bhfuil muintir na Síne chomh tugtha dóibh, agus scríobh an tAthair Ó Gealbháin ar fhordhuilleoig a leabhair ghnásanna:

" Pádraig Seosamh Wang baiste agam inniu—ár gcéad bhaisteadh sa tSín. Deo Gratias."*

Sa bhliain 1906 cheannaigh an Misean Baisteach Meiriceánach trí acra go leith talaimh sa ghleann idir Cnoc na Tortóise agus ballaí na cathrach. Ar an talamh sin thóg siad ospidéal mór a raibh ceithre bharda agus seomraí eile ann. Bhí tithe eile in aice leis an ospidéal a tógadh faoi choinne cistineacha agus áiteanna cónaithe do na searbhóntaí Síneacha. Seasca slat ón phríomhfhoirgneamh tógadh teach ocht seomra faoi choinne dochtúra, agus tithe eile faoi choinne searbhóntaí. Céad slat ó theach an dochtúra thóg siad séipéal agus cúig sheomra faoi aon díon. Chomh maith leis sin thóg siad ospidéal leithlise, seomraí banaltraí, agus halla a raibh fairsinge do dhá chéad ann. Timpeall an chlóis go huile chuir siad balla ard dea-dhéanta.

Sa bhliain 1915 d'fhág siad an áit agus chuir ar díol í. Ní raibh suim ag aon duine inti go deireadh na bliana 1920, nuair a cheannaigh an tAthair Ó Gealbháin í ar shladmhargadh le cuidiú Mr. Kwauk, fo-bhainisteoir na teilgcheárta. Cé go raibh cuma thaibhseach ar an facade, ní raibh an áit go huile chomh maith sin. Tógadh ar ísleán í—locht mór é sin sa dúiche seo—ach mar sin féin bhí neart fairsinge inti, agus níorbh fhada go raibh na giollaí ar a mbealach ó Bhai Ya Tai ag aistriú altóirí, binsí, suíocháin agus uile.

*** Tá an leabhar seo ar taispeáint i gColáiste Naomh Colmán, An Uaimh, anois.**

Lá Fhéile Stiofáin chuaigh an tAthair Ó Gealbháin trasna go Hankow leis an easpag a fheiceáil. D'éirigh leis na hÉireannaigh chomh maith sin ag foghlaim Sínise go raibh siad réidh le dul i measc an phobail dhá mhí ní ba luaithe ná a measadh. Shocraigh sé gach rud leis an easpag, agus i gceann seachtaine chuaigh an chéad bheirt suas an abhainn. Ba ghairid go raibh siad go léir ag dul amach go Hanyang, ina mbeirteanna, faoi mar a chuaigh na haspail fadó. Níor chaith siad féasóga, mar Éireannaigh, agus ba é seo an chéad rud nár thuig pobal na tíre. Ar a bhféasóga a d'aithníodh siad sagairt sa tsean-am.

Cuireadh scoil na ngasúr i Hanyang faoi stiúradh an Athar Uí Chaoinleáin,* sagart as Co. Thiobrad Árann, agus chualathas bualadh na gcamán ar an pháirc le teacht an earraigh. Thug dochtúir Meiriceánach, Roibeard Francis as Indiana, a chúl don obair sa bhaile agus tháinig go dtí an chathair seo nach raibh dochtúir, ospidéal ná íclann inti. Bhí an íclann eagraithe aige faoi Cháisc. I mí Aibreán bhí ocht stáisiún misean i gcóir mhaith chun oibre, agus i mí Iúil bhí clú na scoile i Hanyang chomh hard sin go dtáinig deichniúr gasúr ó Hankow agus thóg teach ar cíos taobh istigh de bhallaí Hanyang, ionas go mbeadh siad in ann freastal uirthi.

Le linn an ama seo chuaigh an tAthair Ó Gealbháin amach le cuairt mhór a dhéanamh ar an cheantar go huile. Tháinig sé ar ais lá amháin i dtús an tsamhraidh, nuair a bhí turas míosa déanta aige agus cuid dá chairde ag déanamh go raibh sé caillte go deo. I rith na míosa sin thaistil sé sé chéad míle, an chuid is mó de sin de shiúl cos.

Le linn an tsamhraidh bhí an aimsir ró-the le dul thart ar na misin, agus ba é sin an t-am leis an tsláinte a chothú roimh an chéad séasúr eile. Faoi Shamhain, bhí ceathrar Bráthair Críostaí le teacht chun dul i gcionn na scoile. An mhí chéanna sin bheadh an chéad chúrsa spioradálta ann, nuair a thiocfadh an bhaicle bheag le chéile arís ar feadh tamaill bhig. Ansin bheadh an chéad bhuíon eile misinéirí ag teacht, agus thosódh na gnótha arís.

As déis a chéile leagadh amach plean na bliana. Thosaigh bliain an mhisin faoi thús Meán Fómhair agus chríochnaigh sí faoi thús an Mheithimh. I mí Lúnasa ba ghnách leis na misinéirí dul ar

* Easpag Chunchon sa Chóiré faoi láthair.

saoire go Kuling.* Bhí an áit seo thuas ar bharr na sléibhte, i gCúige Kiangsi, agus bhí sé cosúil leis na flaithis i ndiaidh a bheith cuachta istigh i sráideanna cúnga taise Hanyang. Théadh misinéirí Protastúnacha ann go minic le haghaidh comhdhála, agus gnóthadóirí iasachta as Hankow agus Shanghai le haghaidh suaimhnis agus síochána. Ba chorrach i gceart an turas é. D'iompraíodh ceathrar giollaí suas na cuairteoirí i gcathaoir bheag chaolaigh. Trí huaire a thógadh an turas. Bhí an baile ar bharr sléibhe, sráid mhór, siopaí galánta agus bláthanna i ngach áit. Choinnití an tSacraimint Rónaofa i séipéal sealadach a bhí ann. Deireadh an Gealbhánach go raibh sé " chomh maith le bheith i Má Chromtha ! "

Tá sé deacair go leor focail mar " peacadh," " ceart," " mícheart " a mhíniú do phágánach a bhfuil Béarla aige, ach bhí sé i bhfad ní ba deacra iad sin a chur i dtuiscint do na Sínigh dhúchasacha. Deireadh na tuismitheoirí i sráidbhaile amháin gurbh fhearr leo nach dtiocfadh an Sen Fu (athair spioradálta) ar ais. Deireadh siad leis gur bhaist sé an mac óg an t-am deireanach agus go bhfuair sé bás go gearr ina dhiaidh sin. Ach d'éirigh an Gealbhánach cleachta leis an ainbhios sin. Ba chuma leis go mbíodh ballaí an tseomra clúdaithe le seanpháipéir nuachta a bhí beo le míola. Ba chuma fosta faoi na madraí leathstiúgtha faolchonda a bhíodh ag creachadh na n-uaigheanna—cé go raibh eagla air roimh mhadraí i gcónaí. Ba chuma leis faoi aon rud ach seans a bheith aige bóithre na Síne a shiúl agus an síol a chroitheadh.

Tugaimis spléachadh ar a laethanta:

É ag dul isteach tráthnóna éigin i sráidbhaile nach bhfaca sé riamh roimhe. Grágaíl na bhfrog agus ceo toite goirme. Boladh na cócaireachta, boladh na gcorp, boladh pholl an chaca; gach rud dá dtáinig as an talamh ag dul ar ais sa talamh. Scata beag páistí ag fágáil na gcearc colgach ina ndiaidh agus ag cruinniú thart air. Iad ag cogar lena chéile. " Cé hé an strainséir seo a bhfuil an tsrón fhada air ? " B'fhéidir gur mhaith an rud ceist a chur orthu. " An bhfuil Críostaithe ar bith ar an tsráidbhaile seo ? " Cogar arís agus scigireacht. " Críostaithe. Mise—sagart." Iad ag cúlú uaidh agus ag dul ar ais chuig na cearca colgacha agus na caisil. Nó, b'fhéidir, seanfhear ag teacht anall ag iarraidh beannachta,

* Leagan Síneach ar " Cooling." Lee San an t-ainm ceart air.

ag iarraidh comhartha na croise ar a éadán, ar a bhéal, ar a bhrollach. Teacht na hoíche agus leaba ar an urlár, cuachta istigh i " mbayou,"* sa tseomra bheag thais, gan solas gan aeráil, i gcompántas na gcearc agus na bhfrancach.

Tráthnóna eile, ag dul isteach i sráidbhaile eile—ach d'fhéadfadh sé bheith ar an taobh eile den domhan mór. " Sen Fu lai leao ! " (tá an sagart ag teacht) ó na páistí, agus iad ag rith ina araicis agus ag fáil greim ar a shútán. Grian na soineantachta ag damhsa ina gcuid súl agus iad ag comhaireamh na gcnaipí ar a shútán agus na súl ina bhróga. Na daoine fásta ag teacht amach ina ndiaidh. Gliondar na dtinte ealaíne agus tafann na madraí.

" Sen Fu hsi ke " (Cuairteoir annamh an t-athair).

" Sen Fu ping an " (Tá siocháin i gcroí an athar).

" Sen Fu chi liao kwei " (Tá anró caite ag an athair = tá sé cortha dá thuras).

Dul isteach i dteach éigin ina dhiaidh sin. Ní hiad na focail " Neamh, Talamh, Impire, Gaolta, Máistir " a bhí le léamh ar an scrolla fada pápéir anois, ach " Dia, Cruthaitheoir agus Tiarna Ceannasach na bhFlaitheas, an Domhain, na nAingeal, an Chine Daonna agus gach ní." Chuirfí ar lasadh na coinnle ar an bhinse agus rachadh sé ar a ghlúine in airde ar an chathaoir. Paidir don Spiorad Naomh, agus ansin croitheadh an uisce choisricthe. Anonn ansin chun an tábla mhóir faoi choinne tae agus béile, agus gach Caitliceach sa tsráidbhaile ag teacht isteach agus ag dul ar a ghlúine ar an urlár chré. Agus maidin lá arna mhárach suas ar na " th'ees " arís, ceo ar na súile agus tocht ar an scornach. . .

Téann an scoláire ar ais chun na scoile, agus gach tráthnóna baineann sé dáta amháin den chaileandar atá greamaithe de chlár a shuíocháin. Nach tábhachtach an rud é lá eile bheith thart, agus lá eile arna mhárach, gach nóiméad ina eachtra agus gach ní ina nuacht. Ach i gceann tamaill éiríonn an scolaire tuirseach nó dearmadach agus baintear amach na dátaí ina mbeirteanna, ina seachtainí, ina gcoicísí. Ansin téann an saol ar eiteoga.

Ar an 4ú Meán Fómhair, 1921, tháinig ceathrar Bráithre Críostaí go Hanyang agus thosaigh a dhéanamh staidéir ar theanga na Síne. Le teacht an earraigh d'éirigh chomh maith leo go raibh siad in ann dul i mbun na scoile a bhí ag an Athair Ó Caoinleáin, agus i

* Fann-chlúmhán líonta de chadás.

Meán Fómhair, 1922, d'oscail siad scoil i mBai Ya Tai le trí ghasúr is tríocha. An mhí chéanna sin tugadh láncheannas do na sagairt Éireannacha ar réigiún Hanyang, agus rinneadh sé cheantar déag misinéireachta de.

Ba ghnách leis an Ghealbhánach i ndeireadh a shaoil a bheith a caint ar an chéad chúpla bliain a chuir siad isteach i Hanyang ionann is dá mba laethanta saoire iad. Ach bhíodh ocras, triomach agus tuilte ann gach uile bhliain. Chomh maith leis sin bhíodh na mílte ceithearnach ag fuaidreamh ar fud na dúiche, iad armtha go minic agus an dúfhuath acu ar an " diabhal strainséara." Oíche amháin thug siad iarraidh mharfach ar an Athair Mac an Bhaird agus an Athair Mac Aoidh, agus ní mó ná gur éirigh leo éalú uathu. I gcomórtas leis na blianta a tháinig ina dhiaidh sin b'fhéidir gur ceart " laethanta saoire " a thabhairt orthu, ach sin an méid.

I lár an Iúil, 1923, fuair an tAthair Ó Cuilinn bás ag Ko Cha Dzae. Ba é sin an chéad tubaiste a bhuail iad ó tháinig siad chun na Síne. Trí mhí ina dhiaidh sin tháinig an chéad scata de shiúracha Loreto go Hanyang. Tháinig siad le scoil bhróidnéireachta a stiúradh, agus rinne siad cónaí i dteach beag i lána chúng phlódaithe, siúl deich nóiméad ón scoil. Níorbh fhada go raibh céad cailín ag obair sa scoil bhróidnéireachta acu.

Nuair a tháinig an Meitheamh, 1924, d'fhág an tAthair Ó Gealbháin agus an tAthair Ó Reannacháin an tSín agus d'fhill go hÉirinn le bheith i láthair ag comhdháil ghinearálta an chumainn. Samhradh gleoite a bhí ann, agus theann Dealgán isteach lena chroí iad. Nuair nach mbíodh siad ag caint faoin obair a bhí idir lámha acu nó ar a gcuid pleananna, bhí faill acu a scíth a ligean. Rachadh cuid mhaith uisce faoin droichead sula mbeadh sin acu arís. Léirigh na mic léinn The Private Secretary agus The Pirates of Penzance dóibh, agus ar feadh tamaill bhig rinne an bheirt Shíneach-Éireannach dearmad de na tuilte, de na ceithearnaigh agus de na corrmhíoltóga, agus d'éist le guthanna na hóige:

Poor wandering ones!
Though ye have surely strayed,
Take heart of grace,
Your steps retrace,
Poor wandering ones!

B'fhíor dóibh!

DÚNBHAILE BREÁ

BA mhór an difear a bhí idir Éire na bliana 1924 agus an tír a chonaic an tAthair Ó Gealbháin go deireanach san earrach, 1920. Bhí na "ceithre bliana glórmhara" thart go deo anois agus, cé nach raibh deireadh leis an argóint go fóill, bhí an Conradh i bhfeidhm agus bhí Mícheál Ó Coileáin san uaigh. Thíos i gCill Mhuire, i mBaile Níos, agus sa cheantar máguaird, is beag teaghlach nach raibh ábhar mairgní acu, ach ba í an gháir is mó a bhí ann anois gur mhithid na príosúnaigh a shaoradh. I mí Iúil ligeadh amach De Valera, agus i gcionn tamaill bhí saoradh ginearálta ann. Ach déarfá go raibh an tseandíograis imithe ar fad.

D'fhág an tAthair Ó Gealbháin an tír i Meán Fómhair, agus i ndiaidh cuairt a thabhairt ar na Stáit Aontaithe bhain sé Shanghai amach ar an 4ú Samhain. D'fhógair an Róimh go ndearnadh Maor Aspalda de ar an chéad lé de Shamhain, ach ní bhfuair sé féin an scéala gur bhain sé an tSín amach. Bíonn ceithre chéim i bhforbairt ceantair mhisinéireachta, mar atá, misean, maoracht aspalda, biocáireacht aspalda, agus deoise. Bhí seanaithne ag sagairt Hanyang ar an mhaor nua agus ar a dhóigheanna, agus bhí barúil acu go bhféachfadh sé le filleadh ar a mhaoracht faoi choim. Nuair a chuala siad go raibh sé i Hankow, d'iarr siad ar dhílseánaigh na teilgchearta an lainse mhór a chur anonn faoina choinne. Le toirneach na dtinte ealaíne, le ceol na bhfífeanna agus na ndromaí ó bhanna Hankow, agus le comóradh scoláirí, idir ghasúir agus ghirseacha, bhain "an Monsignor" an baile amach. Ba leisc leis glacadh leis an ardchéim seo ar feadh tamaill, ach d'fheidhmigh sé ina phointif don chéad uair ag Aifreann na Gine, Nollaig, 1924.

Ach bhí "síochain ar talamh do lucht na dea-thola" giota maith ón tSín go fóill, agus bhí síol eile chomh maith le síol na Críostaíochta á chur inti. Ní aontaíonn daoine cé hé nó cé hiad a bhunaigh an Páirtí Cumannach Síneach, agus níl amhras ar bith gurbh iad Mao Tse Tung agus an tOllamh Chen a bhunaigh an chéad chumann éifeachtach. Tharla sin i Meán Fómhair, 1920, díreach ag an am a raibh na ceannródaithe ó Mhisean Mhá Nuat chun na Síne ag teacht i dtír i Hanyang. Sa bhliain 1926 bhí Mao agus na cumannaithe i gcomhar le Chiang Kai Shek agus an Kuomintang in éadan Rialtas an Tuaiscirt; ach ba chomhar corrach é, dream amháin ag baint feidhme as an dream eile. I mí Iúil mháirseáil an t-arm iontach seo (an tSluaíocht Thuaisceartach) amach as Canton, ar a bhealach ó thuaidh le deireadh a chur leis na tiarnaí cogaidh. Bhí cathracha Wuhan i gceartlár na troda seo, agus ó Dheireadh Fómhair go dtí Eanáir bhí níos mó ná trí chéad stailc ann, i seirbhísí an phoist, sna tionscail chlódóireachta agus thobac agus fhíodóireachta, i ngach siopa, banc agus oifig.

Má bhí Wuhan i gceartlár na troda, bhí an Monsignor Ó Gealbháin agus a shagairt i gceartlár Wuhan. Nuair a bhí an t-arm ag druidim leo chuir sé na siúracha go dtí clochar i bhfad ón dainséar. Scríobh sé abhaile:

" Tá leath na biocáireachta faoi uisce i láthair na huaire, siocair na dtuilte, agus níl áit chónaithe ná pingin airgid ag leath na ndaoine."

Bhí armlann Hanyang i bhfogas do chlós Naomh Colmán, rud a choinnigh gach duine ar bior. Agus ansin tráthnóna amháin, i dtrátha a ceathair a chlog, thosaigh an t-ionsaí. Bhí scata mór cailíní ón scoil bhróidnéireachta faoi chúram an mhisin, agus i ndiaidh iad a chur isteach in institiúid na siúracha luigh an Monsignor agus an tAthair Piogóid síos ar an urlár in aice leis na ballaí agus d'fhan ansin go maidin. Thit sliogán amháin sa chlós ach níor phléasc sé. Mhair an troid ar feadh na hoíche, snípéireacht ar na gardaí thuas ar Chnoc na Tortóise agus bloscadh gunnaí móra áit éigin thuas an abhainn Han. Ach d'éirigh sé níos ciúine le teacht na maidine, agus nuair a d'amharc an Gealbhánach amach chonaic sé na céadta saighdiúirí ag croitheadh a gcuid meirgí in airde ar bharr an chnoic agus ag béiceadh in ard a ngutha:

" Wan Suei ! " (an réabhlóid abú !).

Ar aghaidh leis an arm, in éadan na gCoinseisean. Gabhadh an ceann Briotanach in Hankow go luath san Eanáir, agus bhronn lucht an Bhoilséiveachais an ceann Rúiseach ar an tSín—Timeo . . . dona ferentes ! Siocair go raibh Caitlicigh ina gcónaí sna " cathracha príobháideacha " seo, ní hionadh gur chaill an Eaglais go trom freisin. Ansin, i gceartlár na trioblóide, tháinig Siúracha

Naomh Colmán go Hanyang—ceannródaithe an oird nua a bunaíodh in Éirinn chun comhoibriú le Misean Mhá Nuat chun na Síne. Baisteadh tine a fuair siad. Gach maidin mhúscail siad le fuaim na mbuabhall ina gcluasa, agus chonaic na saighdiúirí ag druileáil sa pháirc bheag idir cuaillí báire iomána na mBráithre Críostaí ! Nuair a rinneadh ionsaí ar Choinseisean na Seapáine i Hankow, shocraigh an Monsignor Ó Gealbháin nach raibh de rogha aige ach na siúracha a chur go Shanghai. Thug an consal Meiriceánach fógra dó go gcuirfeadh sé féin na saighdiúirí cabhlaigh go Hanyang ar lorg na siúracha mura n-aistrítí iad. Chruinnigh na sluaite thart orthu ar an ché, ag pléadáil leo gan imeacht, ach ní raibh gar ann. D'fhág a n-imeacht an ceantar faoi chúram na sagart Éireannach amháin, agus Lá Fhéile Pádraig scríobh an Monsignor abhaile:

" Tá an saol níos compordaí faoi láthair agus feictear dom go bhfuil an chuid is measa thart. Beidh an tAthair Ó Raghallaigh agus mé féin ag dul go Tai Lin Miao amárach. Is é an plean atá againn anois na sagairt a chosaint ar dhainséar agus iad a bhogadh thart ó áit go háit. Tá a gcroí ag na sagairt i rith an ama. Más féidir le Rialtas na Náisiúnaithe cur le chéile beidh sé ina mháistir ar an tSín go huile, ach tá scoilt ann. Má leathann an scoilt seo beidh an tír ina praiseach. Is é Chiang Kai Shek taoiseach na measarthachta. Taobhann an Rúis leis an chlé. Ó Tai Lin Miao déanfaidh mé iarracht dul go Wu Tai, cúig mhíle dhéag taobh thiar de Sung Ho. Ní bheidh sa tSín ach cor agus cor eile go dtarraingimid an anáil dheireanach . . . ach níl aon ní le déanamh ach ár n-urnaí a rá agus beannú go haoibhiúil don lá amárach."

I mí Feabhra gabhadh Hangchow agus ba léir go raibh an cogadh chóir a bheith thart. Ach is suimiúil go maith an rud a dúirt an tAmbasadóir Briotanach ag an am: " Níl ach rud amháin againn le bheith ag súil leis anois, agus tá mé féin fíordhóchasach de, go dtitfidh na Sínigh amach lena chéile ar ball." Ní raibh sé i bhfad ón fhírinne. I lár an Aibreáin, 1927, thosaigh an scoilt a leathadh i gceart nuair a scaoileadh corradh le míle duine i Shanghai, taobh istigh d'aon uair an chloig. Ba seo tús an chogaidh a mhair, idir threallanna, ar feadh fíche bliain nach mór.

Bhí cuma anois air go raibh an chúis ag dul go cnámh na huillinne, agus scríobh an Monsignor an litir seo chuig gach sagart sa mhaoracht:

Teach Misinéirí Naomh Colmán,
Hanyang, Hupeh,
An tSín.

20ú Aibreán, 1927.

" A Athair, a chara,

" Tá baol mór ann anois go mbeidh cogadh idir na cumhachtaí agus an tSín, agus tá baol eile ann go mbeidh troid idir na cumannaigh agus na frithchumannaigh.

" De réir ár mbarúla ní féidir linn ár bpobal a thréigean, cér bith a tharlóidh. Ní féidir linn mórán a dhéanamh dóibh, monuar, acn is féidir linn fanacht i mbun an phobail a thug Dia dúinn, agus is féidir linn bás a fháil, más é sin A thoil. Tabharfaimid misneach le heiseamláir dóibh aghaidh a thabhairt ar an bhás, ar an ghéarleanúint, nó cibé rud atá daite ag Dia dóibh. Cibé rud a chuirfidh Sé, caithfidh an sagart an fód a sheasamh i dtosach.

" Ar uair mar seo, nuair atá sé i gcás go mbeadh ar shagart a bheo a ofráil, creidim nach ceart domsa ordú a thabhairt don tsagart sin fanacht i mbun a phobail. Má tá sé i ndán do dhuine éigin aghaidh a thabhairt ar an bhás, ba mhian liom, thar gach ní, gur dá dheoin féin a thabharfadh sé ar ais do Dhia an beo a thug Seisean dó. Má tá sé toilteanach fanacht agus an íobairt is mó a dhéanamh tabharfaidh mise a orduithe dó agus beidh mé freagrach iontu.

" Mar sin de, iarraim seo mar leanas: Sa chéad dul síos, iarraim ar an tréadaí fanacht ag a phobal. Mura bhfuil seisean toilteanach—agus cuimhnítear gur ar a thoil féin atá—iarraim ar an chúntóir is sinsearaí in ord fanacht. Mura bhfuil seisean toilteanach, iarraim ar an dara cúntóir fanacht. Níl uaim ach sagart amháin i ngach paróiste. Má fhanann an tréadaí, cuirim faoi umhlaíocht ar an chúntóir nó ar na cúntóirí teacht go Hankow chomh luath agus is féidir. Iarraim orthu gan ach an bagáiste is riachtanaí a thabhairt leo—éadach an tsamhraidh agus cibé beagán is féidir a chur i mála láimhe. In aon fhocal amháin, taobh amuigh de shagart amháin i ngach aon pharóiste, ordaím do na sagairt eile teacht go Hankow.

" Tugaim na horduithe seo a leanas don tsagart a bheas ag fanacht ina pharóiste: Fan sa cheannáras a fhad agus is léir duit sin a bheith sábháilte. Má thagann an gábhadh,téigh i bhfolach in áit éigin i do pharóiste. Má éiríonn sé ró-bhaolach, d'fhéadfá an paróiste a fhágáil go ceann tamaill—gan a bheith ró-fhada as. Ní féidir linn an long a fhágáil ar fad. Ar ndóigh, féadfaidh na sagairt a bheas fágtha sna paróistí cuairt a thabhairt ar a chéile, díreach mar a thugaidís roimhe seo.

Dia libh go huile,

Mise le meas,

E. S. Ó Gealbháin."

Thoiligh gach sagart sa mhaoracht fanacht.

Fuair gach sagart Éireannach pas ó Roinn Gnóthaí Eachtracha na Síne, agus d'fhógair an Roinn chéanna coimirce do gach teach pobail agus gach teach cónaithe. Ba é an Gealbhánach féin a dhréachtaigh na cáipéisí:

" Roinn Gnóthaí Eachtracha an Rialtais Náisiúnaigh.

" Tá na hÉireannaigh cráifeach. Ní impiriúlaithe iad. An tAth . . . (Éireannach) sealbhóir an phais seo. Cara é don Rialtas seo agus don mhuintir seo againne agus tá sé ag déanamh obair cheadaithe. Beidh ár muintir ina gceann maith dó agus tabharfaidh siad aire dá mhaoin agus dá bheo.

Ainm an tsealbhóra...

" Beidh an pas seo éifeachtach go ceann sé mhí."

Ar an 25ú Aibreán chuir an dealagáidí aspalda chun na Síne, an Monsignor Costantini, litir chuig gach oirdeanáire sa tír. Fuair an Gealbhánach cóip: ". . . Nuair a dhéanfar géarleanúint ort i gcathair amháin, teith go dtí cathair eile. Seas an fód go daingean, go díreach mar sheas na mairtírigh agus na coinfeasóirí in allód."

Litir ón Gealbhánach, 26ú Bealtaine, 1927:

" Tugadh sagairt éigin amach as na tithe agus buaileadh le bataí iompair iad. Táthar ag brú go fíochmhar ar na daoine an Eaglais a fhágáil. D'fhan gach tréadaí ina pharóiste—níor smaoinigh aon duine acu ar imeacht. Tá mé féin lanchinnte go dtiocfaidh an Eaglais as níos láidre ní a bhí riamh, nuair a shíobfar an toit."

Stadaimis anseo tamaillín chun féachaint ar an Mhonsignor Ó Gealbháin. Bhí sé ag tarraingt ar chúig bliana is daichead d'aois anois. Go dtí seo, b'fhíor a rá, creidim, go raibh gach ní ar a thoil aige. Bhí fonn air bheith ina mhisinéir agus d'éirigh leis. Bhí cúig bliana déag caite aige ar na misin choigríocha. Bhí fonn air áit ar leith a bheith ag misinéirí na hÉireann sa tSín, agus bhí sin acu. Ba é ba mhian leis, go bhfaigheadh sé ceantar Hanyang, agus ba é Hanyang a tugadh dó. Gach céim aige ar a chomhairle féin ? B'fhéidir é—go dtí lár na bliana seo. Sa bhliain 1927 chuir na cumannaigh común ar bun i Wuhan, ar an nós Sóivéideach. An mhí chéanna sin tháinig cáblagram go Dealgán leis an scéala ón Róimh go raibh an Monsignor Ó Gealbháin ceaptha ina bhiocáire aspalda ar Hanyang, agus gur ainmníodh é mar Easpag Teidealach ar Myrina.*

Ar an Déardaoin, an 3ú Samhain, 1927, tháinig an Monsignor Costantini, an dealagáidí aspalda, ó Pheking chun an easpaig nua a choisreacan i Hanyang. Nuair a chuaigh sé isteach i gclós an mhisin bhailigh dream beag thart ar an fhear ard fhéasógach seo agus chuir fáilte roimhe. Ar feadh an lae sin bhí na sagairt ag teacht isteach ó na misin, agus ar bhailiú sa halla mór dóibh chonaic siad ionadaí an Phápa, agus chuala é ag rá:

" Beannacht Dé oraibh, a mhairtíreacha bána."

Lá arna mhárach, an chéad Aoine den mhí, chuaigh sé timpeall na cathrach i gcuideachta na misinéirí agus thaispeáin siad na háiteanna suimiúla dó. Nuair a tháinig siad amach as teampall mór págánach, stad siad nóiméad ag an gheata, ag amharc ar na turtair bheannaithe sa linn. Bhí duine de na sagairt ag rá go raibh a ceathair nó a cúig de chéadta manach ina gcónaí ansin, agus go raibh seomra amháin sa teampall a raibh cúig chéad dia bréige ann, iad go huile ina líne agus pota túise os comhair gach cinn acu. Thug na sagairt faoi deara go dtáinig na deora leis an mhonsignor, agus dúirt sé go brónach:

" Cé atá le solas a thabhairt dóibh, má theipeann ar mhic Naomh Pádraig agus Naomh Colmán ? "

Tháinig cuairteoirí céimiúla eile go teach na misean ar an tSatharn: An Monsignor Massi, easpag Proinsiasach Hankow, cara cléibh an Ghealbhánaigh; an Monsignor Tchen, an chéad easpag ar Puchi, a bhí tar éis filleadh ón Róimh, agus an Monsignor Fatiguet as Kiukiang a bhí ina mhisinéir sa tSín nuair a bhí Ned Ó Gealbháin ag caitheamh geatairí ar an chat Peirseach i mBaile Níos. Tháinig an tAthair Mac Ardghail, Albanach, ó Chekiang, an dúiche ina raibh an Gealbhánach ag obair nuair a tháinig sé chun na Síne ar dtús. Níorbh fhada go raibh daoine as

---

* Ephesus sa lá atá inniu ann.

cúig náisiún déag ann, agus ina measc bhí an tAthair Jansen a raibh Béarla, Fraincis, Gearmáinis, Iodáilis, Sínis, Ollannais agus Pléimeanais aige!

Ba mhillteanach an gliogram a bhí ann maidin Dé Domhnaigh agus na cloig aláraim go huile ag bualadh ag an am céanna. Léigh na sagairt Aifreann chomh luath agus ab fhéidir, agus ar aghaidh leo faoi ghrian na maidine go teach pobail na cathrach. Bhí sé lán go doras cheana féin, agus bhí daoine ar a nglúine taobh amuigh den doras.

Ar a naoi a chlog tháinig an mórshiúl isteach, cuma ar shéiplínigh na n-easpag gurbh ógánaigh amhulcacha iad. Léigh an tAthair Ó Caoinleáin, an biocáire ginearálta, an Mandatum Apostolicum, agus tháinig an Monsignor Costantini agus an tEaspag Massi agus an tEaspag Tchen agus choisric an chéad easpag Éireannach sa tSín. Bhí cuma liath thuirseach ar aghaidh an easpaig nua agus é ina shuí go meabhrach sa chathaoir mhór, mar bheadh sé ag amharc anonn ar na blianta a bhí roimhe, agus is dóigh go raibh. Ach dá mbeadh a fhios aige an lá sin cad é thitfeadh amach, bheadh a aghaidh níos báine fós.

Chan cór guthanna Éireannacha an Veni Creator agus an Te Deum, agus le linn Comaoineach cheol fear acu Adoro te devote i nguth fíor-theanóir. D'éirigh an t-easpag nua ina sheasamh agus thug a bheannacht dá phobal féin, agus ansin stiúraigh an dealagáidí aspalda go dtí a shuíochán é. Ina dhiaidh sin canadh iomann catha an mhisin:

Éist m'anam éist, tá guthanna dá síneadh. . .

Nuair a tháinig an curfá, sheas na sagairt suas go díreach sa tsanctóir agus chuir a nguthanna uile i bpáirt:

I bhfad i gcéin, tá an fómhar buí ag crathadh
Is Críost ag súil le lucht a tháinte d'fháil. . .

Rinne an t-easpag a dhícheall gan ligean don cheo a bhí ar a shúile agus don tocht a bhí air a bhua a fháil. Thug sé amharc thart ar an tsanctóir agus chonaic na sagairt óga a lean é go dtí an tSín. Ní raibh aon fhear acu os cionn cúig bliana is tríocha:

Ar aghaidh linn is cuirimis chun a shabháil
Dílis go deo do Dhia is d' Inis Fáil."

Nuair a bhí deireadh leis na deasghnátha ghluais siad faoin aon bhratach a bhí acu, bán agus buí an Phápa, go Teach Naomh

Colmáin faoi choinne bricfeasta. Tugadh na hóráidí, an dealagáidí ag labhairt i Laidin gan cháim. " Coisricimid thú i lár cogaidh," a dúirt sé. Agus labhair an Monsignor Massi in Iodáilis cheolmhar, an Monsignor Fatiguet sa Fhraincis agus an Monsignor Tchen sa tSínis. Bhí an Monsignor Sylvester, an maor aspalda as Wuchang, ann agus labhair seisean ar son na Stát Aontaithe; agus ansin an tAthair Mac Ardghail ar son " Bonny Scotland," ag trácht ar na seanlaethanta i Chekiang. D'éirigh an tAthair Ó Conaill ina dhiaidh, agus labhair seisean i dteanga na nGael.

Nuair a bhí sé ar sheal an Easpaig Uí Ghealbháin labhairt, d'éirigh sé agus labhair de ghuth a bhí ag briseadh le tocht, ag insint don dealagáidí faoina sheanchara Massi:

" Nuair a bhí neálta an chogaidh i ngach áit, tháinig sé chugam go fíorfháilteach agus dúirt: ' Cibé rud is liomsa, is leatsa é, mar is deartháireacha i gCríost sinn.' Féadaim a rá gur deartháir dílis é." Nuair a dúirt sé na focail sin léim an dealgáidí ina sheasamh agus bhain a bhairéad de, ag glaoch: " Bravo, Monsignor Massi! Bravo! Bravissimo! " agus thosaigh gach duine a bhualadh bos agus a ghárthaíl.

Le titim na hoíche chruinnigh siad go léir le chéile faoi choinne " céilí "—gan damhsa, ar ndóigh! Ba é an t-easpag nua " fear an tí," agus ceoladh amhrán i ndiaidh amhráin go raibh na rachtaí ar crith. Nuair a bhí na guthanna ag éirí tuirseach thosaigh an tAthair Joe Ó hÓgáin ag seinm an Mharseillaise ar an fhidil. D'éirigh an Monsignor Fatiguet, an seanfhear, amach i lár an urláir, faghairt Ghailleach ina shúile, chuir a lámh dheas in airde agus chan rosc náisiúnta a thíre dúchais a d'fhág sé dhá bhliain is daichead roimhe sin:

Aux armes, citoyens!
Formez vos bataillons!
Marchons, marchons, qu' un sang impur
Abreuve nos sillons!

" Vive le France! Vive le Grand Seigneur," ghlaoigh sé ag an deireadh, agus arís an bualadh bos agus an ghárthaíl.

Nuair a bhí an céilí thart chruinnigh na hÉireannaigh timpeall an easpaig nua agus cheol siad an t-amhrán a chuala sé féin chomh fada sin ó shin ag na crosairí i gCorcaigh: God save Ireland.

Bhí an lá mór thart. Ar maidin bheadh na sagairt ag dul ar ais go dtí a gceantair féin—mura mbriseadh an troid amach. Bhí deireadh leis an cheol go ceann tamaill. Bhí, leoga.

DÁ BHFACAS IM' SHIÚLTAIBH . . .

SA chogadh sibhialta a bhris amach ní raibh ag éirí go rómhaith le Mao Tse Tung agus a chairde i dtosach báire. Bhí an cur ina n-éadan chomh láidir sin gur theith sé go sléibhte Chiangkangshan ar theorainn Kiangsi-Hunan, áit ar ardaigh sé féin agus Chuh Teh an bhratach dhearg os cionn a raibh fágtha den tSín Chumannach. Bhí Chiang Kai Shek cinnte anois go raibh deireadh leo, agus thug sé a arm amach as Nanking. Le teacht an tsamhraidh, 1927, bhí greim na mBoilséiveach ar Hanyang briste, agus níor tugadh nó níor iarradh ceathrú anama. Bhí a gcuid gruaige babáilte ag na cailíní óga le linn na réime deirge, agus anois ní fhásfadh sí gasta go leor agus maraíodh iad go cruálach ina gcéadta. D'éalaigh cuid mhór as an chathair agus chuaigh i bhfolach ar fud na dúiche, ag creachadh agus ag robáil leo. Ní raibh aon áit i gcúige Hupeh a ba mheasa ná an ceantar ar tugadh Tien-men air, giota beag suas abhainn Han.

De bhrí go raibh rialtas nua ann anois, ní raibh aon mhaith sna sean-nótaí státchiste agus chaill na mílte gach pingin dá raibh acu. D'fhág sin go raibh ar an Easpag Ó Gealbháin súil ghéar a choinneáil ar na pinginí. I Meitheamh tógadh i mbraighdeanas sagart dá chuid, an tAthair Ó Leathlobhair, agus leagadh airgead fuascailte air. Bhí sé ar chumas an easpaig iarraidh ar an arm dul amach agus é a shaoradh, ach bhí eagla air go marófaí an sagart dá ndéanadh sé sin. Chuaigh sé chun margaidh leis na tóraithe, agus más iontach le rá é, scaoileadh saor an sagart gan aon airgead a íoc.

Thart faoi am seo tháinig scéala ón Róimh gur tugadh ceantar eile sa tSín do Mhisean Mhá Nuat. Bhí sé i gcúige Kiangsi, agus nuair a chuala an t-easpag an scéala d'imigh sé leis chun an áit a fheiceáil. B'éigean dó dul ar an ghaltán go Kiukiang ar dtús, agus ansin sé huaire a chaitheamh ar an traein go Kien Chang. Ina dhiaidh sin rinne sé turas thrí lá ar rafta a bhí ochtó troigh ar a fhad.

"Bhí seomra bia againn ar bord," scríobh sé abhaile go hÉirinn, "agus seomra fáiltithe agus codlata, agus bhíomar chomh sásta leis na trí Ríthe agus i bhfad níos teo—ar snámh síos leis an sruth agus ag baint aoibhnis as an radharc. Tá sé i bhfad níos fearr ná bheith ar línéar, agus ní bhíonn aon ní ag déanamh imní duit ach gan titim san uisce!"

B'onóir mhór don chumann óg ceantar nua a fháil, agus ba chomhartha é go raibh muinín ag an Róimh astu. Ach bheadh níos mó oibre le déanamh ag na misinéirí a d'fhágfaí i Hanyang. Tógadh an tAthair Ó Tiarnaigh, sagart de na ceannródaithe, mar stiúrthóir ar an réigiún nua.

"I gcomparáid le Hupeh," dúirt an t-easpag leis, "is tír úr ghlan í, agus ba cheart d'Éireannach a bheith séanmhar inti, mar tá sí lán d'éanlaith, d'aibhneacha, de shléibhte agus de chrainn. Mandarin an teanga atá acu—le malartuithe. Má labhraíonn tú sa tSínis seo againne go briotach, beidh leat!"

Domhnach Cásca d'oirnigh sé a chéad sagart. Doiminic Wong ab ainm do, agus ba de bhunadh seanchaitliceach é. Bhí máthair agus athair an tsagairt nua, mar aon le pobal an-mhór, i láthair.

I Meitheamh, 1928 thit cathair Peking gan aon trioblóid roimh fhórsaí na náisiúnaithe. D'imigh saighdiúirí Feng amach ar an gheata oirthearach agus iad ag cantaireacht, díreach nuair a bhí saighdiúirí Chiang ag dul isteach ar an gheata iartharach. Láithreach crochadh amach na bratacha nua i ngach uile áit, an dearg ar urlár gorm agus an gal gréine. Gearradh cáin ar thrilseáin eireabaill, agus cuireadh milleán ar chosa ceangailte, agus athraíodh ainm na cathrach ó Peking (an cheannchathair thuaisceartach) go Peping (an tsíocháin thuaisceartach). De réir cosúlachta, bheadh faill anáil a tharraingt anois.

Go luath sa bhliain úr, 1929, tharla go raibh an tEaspag Ó Gealbháin amuigh faoin tír, "sa tóir ar roinnt caorach a bhí ar seachrán," nuair a chuimhnigh sé go raibh aige le bheith ar ais i Hanyang ar an dara lá d'Fheabhra le haghaidh phroifisiún na siúracha. Níor ghnathshiúracha iad seo, leoga, ach Siúracha Naomh Colmán a tháinig i dtír san fhómhar, 1926, nuair a bhí néalta cogaidh os cionn na cathrach. B'éigean dóibh dul go Shanghai go dtí go raibh deireadh leis an troid, ach tháinig siad ar ais faoi choinne choisreacan an easpaig, agus anois bhí siad réidh leis an phroifisiún deiridh a thabhairt ina móideanna.

D'fhág an t-easpag " na caoirigh " ina dhiaidh agus d'fhill ar an bhaile, i gcuideachta an Athar Mhic Aodha. Chuir siad lá iomlán isteach ina luí i sampán, sular shroich siad loch éigin a bhí sioctha ar fad. Thiontaigh siad ar ais agus fuair cúpla uair codlata agus ansin d'imigh leo arís de shiúl cos go Yin Tsing, fiche míle ar aghaidh, trí cheantar a bhí plúchta le sneachta. Nuair a bhain siad amach an áit, ní raibh an sagart sa bhaile agus b'éigean dóibh dul ar aghaidh, gan bróga ná giosáin a athrú. Thug siad a n-aghaidh anois ar Sian-kan, cúig mhíle is fiche ar shiúl. Leath bealaigh anonn casadh sagart Síneach orthu, ach ní raibh a bhróga chomh mór lena chroí agus chuir siad oíche eile isteach agus a gcosa préachta le fuacht. Sa deireadh tháinig siad a fhad leis an abhainn, agus i ndiaidh dhá lá eile ar an bhád bhain siad Hanyang amach agus iad sioctha ar fad.

Nuair a bhí na siúracha sa chlochar i gCathair Dhá Chon ba é an tAthair Mac Aodha a bhí ina shéiplíneach acu, agus mar sin de ba chuairteoir é a raibh fáilte roimhe. Bhí an deasghnáth iontach simplí ar fad, gan call ar bith le seinm orgáin nó céimeanna mná rialta. Ní raibh mórán dathanna sa tseomra, cé is moite de róbaí an easpaig agus é ag iontonú an Veni Creator agus ag rá: " A Pháistí, an bhfuil sibh toilteanach Ī́osa Críost, Céasta, a ghlacadh mar Chéile go síoraí ? " Agus an freagra: " A Thiarna, toilímid é ó chroí amach." Mar nach raibh an mháthair ghinearalta i láthair, chuir sé an fáinne ar mhéara na siúracha, agus chríochnaigh siad leis an Te Deum agus iomann an mhisin. Díreach mar tharla an lá a rinneadh easpag de, rinne sé a dhícheall gan ligean don cheo teacht ar a shúile nó don tocht a bhua a fháil, ach smaoinigh sé ar an turas fada a bhí déanta aige ón cheantar taobh thiar de Yin Tsing, agus thug buíochas do Dhia go dtáinig sé slán go dtí an seomra beag seo sa teach i lár an tsneachta.

Fuair an misean procure i Shanghai thart faoin tráth seo, agus cuireadh an tAthair Mac Gualraic ann. Go dtí sin bhaineadh siad úsáid as an teach Beilgeach. Ach bhí drochscéala ann freisin. Bhí an t-easpag Tchen marbh: Tchen beag a bhí i láthair an lá a rinneadh easpag den Ghealbhánach; Tchen a thug " ni mendi shiao shungdi " (ár ndeartháir beag) air; a scríobh chuige ón long agus é ar a bhealach chun na Róimhe, ag rá go gcuimhneodh sé orthu go léir ag an altóir ansin. An fear beag bídeach a chaitheadh na bróga beaga lena mbúclaí airgid; bhí sé socair i ndeireadh na dála. Bhí sé ina luí go suaimhneach anois in éide an tsagairt, mítéar an easpaig air agus a lámha dothuirsithe fillte le chéile ar a bhrollach.

Tháinig drochscéala eile i mí Iúil, gur mharaigh na ceithearnaigh an tAthair Lionard i gKiangsi. Bhí sé ar an chéad scata a tháinig amach chun na Síne, agus anois ba é an chéad mhairtíreach é. Bhí na ceithearnaigh ag dul ó smacht faoi seo. Bhí dhá chineál ann: na ceithearnaigh mhóra a bhaineadh fúthu i sráidbhaile éigin agus a bhailíodh cánacha agus mar sin de, ionann is dá mba arm oifigiúil iad; agus na ceatharnaigh bheaga, ar bheagán córach, a bhaineadh fúthu cibé áit a mbíodh siad " ag obair." Nuair a cuireadh smacht ar na cumannaigh i Hupeh, bhí na mílte duine i mbaol a mbáis mar go raibh siad páirteach ina scéimeanna. Ní raibh aon áit acu le teitheadh ach chuig na ceithearnaigh. Má bhí gunnaí leo cuireadh fáilte rompu. Ós rud é go raibh an t-arm oifigiúil ag troid sa tuaisceart, ní raibh aon chumhacht láidir fágtha sna cathracha agus bhí cead a gcinn ag lucht an chearrbhachais agus an chodlaidín. Le cois a ndearnadh de robáil, fuarthas airgead as fuadach daoine. B'iontach na hainmneacha a bhí ar na dreamanna seo: na Sleádóirí Dearga, Cumann na nGoile Crua, nó rud éigin ní b'ard-chéimiúla—an Cumann Diaga, ach b'ionann tréith dóibh uile, brúidiúlacht gan trua gan taise.

I Meán Fómhair maraíodh an tEaspag Ichang. Taobh istigh de thríocha bliain bhí seacht ngéarleanúint sa cheantar seo, agus maraíodh beirt easpag agus seachtar sagart, i gcruth is gurbh é an teideal a bhí air, Misean na Fola. Nuair a rinneadh easpag den fhear seo chuaigh sé go dtí tuamba a réamhtheachtaí agus dúirt de chogar: " B'fhéidir le Dia go bhfaighinnse bás mar a fuair seisean." Léigh an tEaspag Massi an tAifreann, le cuidiú an Easpaig Uí Ghealbháin. Nuair a chuaigh siad go dtí an reilig, áit a raibh pobal iomlán Ichang cruinnithe, chonaic siad coirnéal Síneach á shleáchtadh féin béal faoi ar an talamh agus ag pógadh na cónra. D'éist siad le scéala gur iompair na Caitlicigh leo trí fhleasc lán d'fhuil an easpaig, agus den talamh a deargadh léi.

Am éigin i bhfómhar 1929, shocraigh an tEaspag Ó Gealbháin go gcuirfeadh sé ar bun tithe ar leith faoi choinne banchaiticiúmanach anseo is ansiúd ar fud an réigiúin. Ó am go ham thugadh sé faoi deara gur leor bean Chaitliceach amháin le sráidbhaile beag éigin a thabhairt i dtreo na hEaglaise. Ba léir gurbh obair do na siúracha a bhí ann. Bhí barraíocht ag cur isteach ar na mná Síneacha sa bhaile, agus dá bhféadfaí iad a thabhairt ón cheantar máguaird go dtí teach meánach éigin, b'fhéidir go mbeadh buntús gluaiseachta nua ann. Shocraigh sé ar dhá áit mheánacha, le ceathrar siúracha i ngach ceann. Scríobh sé ar ais go hÉirinn: " Ní féidir liom an tír seo a dhaingniú gan iad." Agus ar an 7ú Deireadh Fómhair d'fhág seisear siúracha Dún Laoire ar an chéad chéim dá n-aistear chuige.

Yuin Lung Ho an t-ainm a bhí ar cheann de na háiteanna a toghadh. Ach oíche amháin i mí na Samhna tháinig na ceithearnaigh agus chuir an baile trí thine. Tharla gur chuir taoiseach na gceithearnach aithne ar shagart éigin nuair a bhí sé san arm oifigiúil, agus mar gur thaitin an creideamh nua leis níor chuir sé teach pobail Yuin Lung Ho trí thine. Bheartaigh an tEaspag Ó Gealbháin an t-abhar tógála a thabhairt go dtí an abhainn agus é a chur ar snámh síos go Sien Tao Chen.

" Tá Dia ag fuascailt na ceiste seo ar dhóigh éigin nach léir d'aon duine ach dó féin amháin," scríobh sé go Dealgán. " Ach dá dtiocfadh linn fháil amach cad é toil Dé. Amanna feictear dúinn go bhfuil balla mór dorcha amach romhainn. Faigh gach paidir dúinn ar do lándícheall."

Ba mhillteanach ar fad an geimhreadh a bhí ann i 1929-30. De réir mhuintir na Síne, ba é an geimhreadh ab fhuaire é le seasca bliain, agus ba bheag duine hach bhfaca uafás éigin. Bhí an oiread sin fearthainne i gceantar Yo Ba gur milleadh an barr ar fad. Bhí an t-uisce os cionn na ríse agus an chadáis ina loch mór agus bhí céad teaghlach Caitliceach ar an anás. Bhí an tír beo leis na ceithearnaigh a tháinig isteach ar lorg creiche. Scríobh sagart ó Tsan Dan Kow: " Ní raibh sé chomh holc seo ó tháinigeamar go dtí an tSín. Tá na ceithearnaigh i ngach áit." Tháinig scéalta isteach gur cuireadh tithe pobail trí thine. I gcathair Hanyang chonacthas na giollaí ina luí i dtóin na dtrucailí agus iad sioctha marbh.

Bhí an tEaspag Ó Gealbháin i Sien Tao Chen i mí Aibreáin, 1930. Mheas sé gurbh í seo an áit a ba shábháilte sa bhiocáireacht, cionn is go raibh idir trí is ceithre chéad saighdiúir ann, agus ar an ábhar sin bhí an clochar nua tógtha aige agus cúigear siúracha ann. Seachtain nó mar sin i ndiaidh theacht na siúracha theagmhaigh an t-easpag leis na cumannaigh don chéad uair. Cuid den Séú Arm Cumannach a bhí ann, agus chuaigh scéal na teagmhála timpeall an domhain. Is fiú mioninsint a thabhairt ar an scéal.

AN TEAGMHAS AG SIEN TAO CHEN

BHÍ an t-easpag ag léamh Aifrinn an mhaidin seo ar a sé a chlog, an tseachtain dheireanach d'Aibreán, nuair a chuala sé cnagarnach raidhfil agus glórtha ag screadach " SÁR ! " (bás). Chríochnaigh sé an tAifreann go gasta agus bhain an t-éide de. Ba é an tAthair Breatnach a bhí ag friothálamh, agus ní raibh aon duine eile i dteach an phobail ach beirt shiúracha, an tSiúr Colmán agus an tSiúr Mícheál. Bhí an scaoileadh ag éirí níos measa anois, agus tháinig an tAthair Ó Coileáin, an tAthair Ó Lionacháin, agus an tAthair Ó Láimhín isteach i ndiaidh geataí an chlóis a dhúnadh. Ghlac siad Comaoineach, ionas nach mbeadh an Naomh-Shacraimint fágtha ansin, agus ghlaoigh siad ar an Mháthair Lelia, an tSiúr Dolores agus an tSiúr Pádraig teacht gan mhoill go dtí an sacraistí, mar a mbeadh siad níos sábháilte.

Nuair a tháinig sos beag sa troid d'imigh an t-easpag amach as an tsacraistí, síos go doras an tí, agus thug spléachadh fáilí thart. Chonaic sé scata fear armtha ag geata an chlóis. I gcionn nóiméid bhí siad istigh. Rith sé ar ais go dtí an sacraistí, ach chuala sé coiscéim ar an tairseach agus d'iompaigh thart. Tháinig fear óg isteach, tríocha bliain d'aois nó mar sin. Bhí culaith mhíleata air ab fhearr ná an cineál a chaitheadh saighdiúirí na Síne de ghnáth, agus bhí sé ag gáire go mín modhúil.

" Ná bíodh aon eagla ort," ar seisean. " Ar lorg lucht an airgid atáimid; is iad a bhí i gcoinne na ndaoine bochta. Bhí mise i Hankow agus i Wuchang agus chonaic mé an obair mhaith a bhí sibh uile a dhéanamh. Ná bíodh eagla ort." Rinne sé draothadh gáire agus amach leis.

Chuir sé cuid de na saighdiúirí ar garda ag príomhgheata an chlóis. Chuaigh an t-easpag, na sagairt agus na siúracha amach go dtí caiticiúmanacht na mban. Bhí dream beag ban Síneach ina luí sa chúinne, ar crith le heagla. Thosaigh na siúracha ar bhricfeasta caife agus aráin a dhéanamh, agus chuaigh an tAthair Ó Lionacháin amach go cúl an tí agus chuir na soithí coisricthe agus an ola choisricthe i bhfolach sa ghaineamh.

Chuir an Mháthair Lelia giota siúcra i gcupán an easpaig, agus bhí sé féin á mheascadh le scian bhoird nuair a tháinig an tAthair Breatnach isteach le scéala gur mhaith le taoiseach na gceithearnach labhairt leis. Ar feadh a eolais, bhí fáinne déanta ag na saighdiúirí thart ar an chlós go huile. Ba é an fear céanna a bhí ann, fear an mhiongháire. Chuir an t-easpag aoibh an gháire air féin freisin, mar bhí a fhios aige anois go raibh sé san fhaopach, agus ní raibh aon mhaith i mbagairtí. Ar mhaith leis bricfeasta ? Thabharfadh na siúracha tae agus uibheacha dó. Ar mhaith leis sin ? Ba mhaith. Nuair a bhí sé ag ithe d'fhiafraigh an t-easpag de cárbh as a dtáinig sé. Dúirt sé go haoibhiúil nach raibh a fhios aige: " Corradh le nócha *li* nó mar sin." Bhí siad ag máirseáil ar feadh na hoíche agus bhí siad an-tuirseach. Bhí siad ansin le cuidiú a thabhairt do na bochta.

" Ná bíodh aon eagla oraibh," ar seisean arís. Agus arís an gáire.

Dúirt an t-easpag leis gurbh é an scaoileadh gunnaí a chuir eagla ar na siúracha, agus dúirt mo dhuine go míneodh sé an cás dóibh. Nuair a bhí an béile caite aige labhair sé go cineálta leo, ag rá go raibh a fhios aige go raibh siad " go huile iontach maith," agus go raibh " muid go léir faoi aon bhratach amháin." Ansin d'umhlaigh sé go múinte don chuideachta; dúirt, " Wang is ainm dom," d'fhág an seomra agus d'imigh amach as an chlós.

Thosaigh siad a dhéanamh réidh an bhricfeasta nuair a bhí sé ar shiúl, ach ní raibh faoiseamh le fáil acu. Ní mó ná go raibh an béile thart nuair a tháinig beirt fhear isteach ag bagairt gunnán. Chuaigh an t-easpag amach leo go dtí seomra beag eile agus tosaíodh ar an chaint arís. Dúirt fear amháin, Yuen ab ainm dó, gan eagla ar bith a bheith orthu; ach gur mhaith leo go rachadh na sagairt isteach chun an bhaile mhóir leo, ionas go bhféadfaí cúrsaí a phlé. D'fhreagair an t-easpag nach mbeadh sin ró-oiriúnach. Cén fáth nach dtiocfadh a gcuid taoiseach anseo ? Ní hea, dúirt siad, cén fáth nach rachadh na sagairt ?; ach bhéadh teach an phobail gan chosaint dá dtéadh siad. Bheadh dainséar ann go ndéanfaí creachadh. Bheadh an-eagla ar na siúracha, agus mar sin de. Ceist agus freagra, sá agus cosc, umhlú agus miongháire.

Cuireadh deireadh leis an argóint nuair a bhris an tAthair Ó Láimhín isteach, agus scairt:

" Tá siad ag réabadh theach an phobail ! "

" D'inis mé sin daoibh," arsa an t-easpag.

" Ní hea," dúirt Yuen. " Cuirfidh mise stad leis."

Rith siad uile i dtreo an tí pobail, agus b'uafásach an radharc é. Bhí an áit plódaithe le ceithearnaigh. Bhí deilbh na Maighdine Muire, bronntanas ó mháthair an Athar Uí Láimhín, ina luí ina smidiríní. Deilbh an Chroí Ró-Naofa mar an gcéanna. Na héidí bainte den altóir agus iad stróicthe ina ribíní. An altóir lomnochta agus an sacraistí ina conamar. Rith Yuen isteach go lár an urláir agus thug ordú dóibh bheith amuigh. Ghéill siad dó go doicheallach.

Ar ais ansin go dtí an seomra beag, agus an chaint. Bhí an tAthair Ó Láimhín ina sheasamh in aice leis an doras ag éisteacht leis an easpag nuair a d'iompaigh Yuen thart.

" Cad is ainm duitse ? "

" An tAthair Ó Láimhín."

" Caithfidh tú imeacht linne."

Thosaigh an t-easpag a labhairt, ach chuir an sagart óg isteach air.

" Is cuma, a Mhonsignor. Deir an bithiúnach seo a bhfuil an gunnán aige go gcaithfidh mé imeacht, agus imeoidh mé."

Bhí tuairim ar chéad saighdiúir sa chlós anois. Sheas an t-easpag ag an doras le taobh Yuen, agus chuaigh an tAthair Ó Láimhín isteach sa tseomra bia, chuir na holaí coisricthe agus an stoil ar an tábla agus d'iarr aspalóid ón Athair Ó Coileáin. Dúirt sé leis na siúracha guí ar a shon agus chuaigh sé amach go dtí an príomhdhoras, ag baint na slipéar Síneach de agus ag cur a bhróg air. D'amharc sé suas san aghaidh ar an easpag agus é ag ceangal na n-iall, agus dúirt: " Casfar ar a chéile muid ar an taobh eile den uaigh. Scríobh abhaile agus inis dóibh faoi." Nuair a bhí sé ag imeacht, dúirt sé: " Cibé rud a scríobhfaidh mé chugat, beidh a fhios agat cad é atá i mo cheann." Ansin d'imigh sé, ag iompú thart tar éis leathdhosaen céim agus ag croitheamh orthu. Cé go raibh cuma mhílíteach air bhí miongháire ar a bhéal. Bhí sé thart faoi leath i ndiaidh a seacht ar maidin nuair a shiúil sé amach thar an gheata.

" Go dté mé i dtalamh," scríobh an t-easpag, " fanfaidh an pictiúr sin liom. Go dtí seo bhí mé daingean go leor, ach anois bhuail laige aisteach mé agus bhris an gol orm agus bhí tocht orm.

Bhí na ceithearnaigh gach áit timpeall, ach ní fhaca mé iad in aon chor. Le stuaim a chur ionam féin shiúil mé suas agus anuas os comhair an tí amach. I gcionn tamaill chuaigh mé isteach sa tseomra bia arís leis an scéal a insint don Athair Ó Coileáin agus do na siúracha. Shíl mé go raibh mé ciúin staidéartha go dtí gur thosaigh mé a labhairt—ansin bhris an gol orm arís."

" A Mhonsignor, déan é a ofráil do Dhia; Tabharfaidh Dia aire dó," arsa an Mháthair Lelia.

Bhí a fhios ag an easpag nach raibh deireadh leis an scéal go fóill, agus bní imní an domhain air faoi na siúracha. Chuaigh sé amach agus shiúil thart an clós cúpla uair eile. Bhí na gardaí ag gach geata, iad uile armtha, cuid acu ag roinnt na creiche. Ní raibh aon bhealach as an fhaopach. Bhí an tAthair Ó Lionacháin ina sheasamh thall in aice le teach na searbhóntaí, agus chuaigh sé a fhad leis. Ní raibh siad ag caint ach cúpla nóiméad nuair a tháinig beirt cheithearnach isteach agus gunnáin ina lámha.

" Caithfidh fear eile teach linn," d'ordaigh siad. (Tá fear anseo a dtugtar Linn air (ainm an Athar Uí Lionacháin i Sínis). Caithfidh seisean teacht."

" Rachaidh mé," go ciúin mílítheach.

Arís an argóint; arís an míniúchán; arís an scaradh agus an ceiliúradh.

Smaoinigh an t-easpag. Bhí ainm an Athar Uí Lionacháin acu, agus chiallaigh sin go raibh an rud seo uilig pleanáilte roimh ré. Chuaigh sé ar ais chun an tseomra bia agus thosaigh a chaint leis an Athair Breatnach a bhí ag scríobh litreach ag cur síos ar imeachtaí na maidine. Dúirt sé go rachadh sé féin leo dá dtiocfadh siad ar ais ar lorg duine eile. Ach dúirt an tAthair Breatnach go raibh sé de dhualgas air fanacht i mbun na siúracha. Chuir sé ar a shúile dó nach raibh a fhios acu gurbh eisean an t-easpag nó taoiseach na sagart, mar go raibh an sútán gan sais air ó leigh sé an tAifreann.

Tháinig an scroblach isteach sa tseomra arís agus thosaigh a chreachadh.

" Cén rud atá déanta ag an Eaglais Chaitliceach i bhur n-éadán nó in éadán na Síne ? " arsa an t-easpag. " Tháinigeamar anseo lena theagasc don phobal an mhaith a dhéanamh le heolas a thabhairt dóibh faoi Dhia a chruthaigh muid go huile, agus le haire a thabhairt do na bochta. Cuirigí ceist ar aon duine ar an bhaile seo inár dtaobh," ar seisean go brónach.

" Tuigimid gur daoine maithe sibh," arsa fear amháin, " agus ní dhéanfaimid aon dochar daoibh. Ach tuigimid fosta go bhfuil sibh páirteach leis na hImpiriúlaithe."

" Ní Impiriúlaithe sinne, ach Éireannaigh."

" Tá sibh páirteach leis na hÉireannaigh Impiriúla mar sin, a thiocfadh amach anseo i bhur ndiaidh leis an tír seo a ghabháil."

" Ní tír Impiriúil Éire."

Tá bhur saighdiúirí agus bhur gcathlonga anseo."

" Cá bhfuil siad ? "

" I Hankow agus i Shanghai."

" Níl aon saighdiúir Éireannach amháin i dtír na Síne. Níor ghabh Éire aon tír riamh. Níor tháinig muid anseo leis an tSín a ghortú ach le cuidiú léi."

Bhí cuma ar an tsaighdiúir anois gur chreid sé cuid de na rudaí a bhí an t-easpag a rá, agus cuma ar an easpag nach raibh seisean gan dóchas go fóill.

" Iarraim ort an bheirt fhear seo a scaoileadh saor agus cead ár gcinn a thabhairt dúinn."

" Ní féidir liom sin a dhéanamh."

" Cén fáth ? "

" Tabharfaimid aire mhaith dóibh."

" An féidir leat dul i mbannaí nach marófar iad ? "

" Tabharfaimid aire mhaith dóibh."

" Mura féidir libh an bheirt fhear a scaoileadh saor, an dtabharfaidh sibh cead dúinne imeacht ? "

" Tabharfaidh."

" Ní thabharfaidh," dúirt fear eile. " Ní thabharfaidh inniu, ach amárach. Caithfimid seomra na siúracha a chuardach anois."

Chreach siad an seomra agus thóg leo na cógais go léir. Bhí leabhair an pharóiste curtha i bhfolach ag an Athair Ó Coileán, agus d'éirigh leis an Mháthair Lelia buidéal branda a choinneáil as amharc faoina hascaill. Bhí an branda iontach úsáideach i gcásanna maláire nó dinnireachta, agus cé gur cuardaíodh í bhí sí in ann é a choinneáil faoi cheilt.

Chuaigh searbhónta an Athar Uí Láimhín leis na ceithearnaigh nuair a rinneadh an ghabháil, agus anois d'fhill sé leis an scéala go raibh na taoisigh amuigh ar lorg " an fhir a raibh na cnaipí dearga aige." Dúirt an tAthair Ó Láimhín leo gur cuairteoir a bhí ann. Chuala an t-easpag fead as áit éigin agus chuaigh sé go dtí an príomhgheata. Ní raibh aon duine á chosaint, agus amach leis chun na sráide. Fiche slat síos an tsráid chonaic sé seanbhean ina suí ag tábla ag díol milseán agus toitíní. "Nach millteanach an scéal é ?" ar sise. "An bhfuil seans ar bith agaibh imeacht ?"

Tháinig sé ar ais go dtí an clós. Chonaic sé go raibh garda armtha ag doras theach na siúracha go fóill, ach ní raibh aon duine ag an gheata cúil. De réir cosúlachta bhí siad uile ag creachadh an tí. Bhí scata beag ceithearnach ar an véaránda agus cúpla fear eile ag dul suas. Labhair an t-easpag leis an gharda.

"Tá siadsan ag dul suas. Beidh eagla ar na mná. Is fearr domsa iad a thabhairt anuas sa chúl."

"Tá go maith," arsa an garda go grosach.

Rith an t-easpag suas chun an tseomra agus dúirt leis na siúracha: "Leanaigí mé."

B'fhéidir gur shíl an garda nach raibh sé ach á dtabhairt anuas go cúl an tí, agus gur shíl sé go raibh garda ar an gheata cúil ar fad. Ach ba chuma anois faoina bharúlacha. D'éalaigh siad ó chlós na siúracha tríd an doras go caiticiúimineacht na mban, an tAthair Ó Coileáin agus an tAthair Breatnach á dtionlacan. Tháinig Ma agus Gaw, searbhóntaí na sagart, ina gcosamar agus shiúil an scata beag caol díreach amach ar an gheata cúil.

Ghluais siad tríd na páirceanna ó chrann go crann. Bhain na siúracha na fiala bána díobh ar eagla a bhfeiceála agus iad ar an bhealach go dtí an abhainn Han. Bhí siad in aice leis an mhóta nuair a scairt an tAthair Ó Coileáin: "Síos libh!" Luigh siad síos sa chruithneacht ag féachaint ar sheisear ceithearnach a bhí cúpla céad slat rompu. Nuair a d'imigh siad sin as amharc, amach as an chruithneacht leis an easpag agus a chomhluadar, thar an mhóta agus isteach faoi scáth na gcrann maoildeirge. Shuigh siad síos agus cuireadh buidéal an bhranda thart ó bhéal go béal le rud beag misnigh a thabhairt dóibh.

Chuaigh siad trasna na habhann le seanbhádóir págánach. Nuair a bhí siad slán sábháilte ar an taobh thall d'fhág an t-easpag slán acu, chuir na sagairt, na siúracha agus na searbhóntaí ar an bhád agus chuaigh ar ais ina aonar go dtí an misean beag i nDou Wan. Ar maidin lá arna mhárach, nuair a bhí an tAifreann léite aige, chuala sé go raibh na ceithearnaigh imithe as Sien Tao Chen agus d'fhill sé ar an bhaile. Maidin Dé Sathairn a bhí ann agus bhí an baile go huile ar bior, scataí ag caint go corraitheach sna sráideanna faoi imeachtaí na hAoine. Chuaigh sé go clós an mhisin agus fuair na Caitlicigh ar garda ann. Bhí áthas an domhain orthu é a fheiceáil, agus dúirt siad leis gur mhór an mhíorúilt go ndeachaigh siad slán.

Nuair a fuair sé amach an treo inar tugadh a bheirt sagart labhair sé le Caitliceach fir a raibh fíormhuinín aige as. Chuaigh an bheirt acu isteach i seomra agus dúnadh an doras.

" Ceist agam ort," arsa an t-easpag. " An mbeifeá toilteanach na ceithearnaigh seo a leanúint agus tuairisc an dá shagart a thabhairt ar ais chugam ? "

Ní dearna an fear ach a dhá láimh a chur isteach i lámha an easpaig agus a rá: " Más é toil Dé é agus ordú an easpaig, rachaidh mé." D'fhill sé seanéadach salach ar chúpla canna bainne, agus mhol an t-easpag dó a rá, dá gcuirfí forrán air, go raibh sé ag tabhairt bia chuig na sagairt. Nuair a bhí sé feistithe tháinig Caitliceach eile isteach agus dúirt: " Ba é an tAthair Ó Láimhín a bhaist mise anuraidh. Rachaidh mise freisin. B'fhéidir nach dtiocfaimis ar ais, ach mura dtaga, cuimhneoidh tú orainn agus tú ag léamh an Aifrinn."

D'imigh siad. Bhí greim daingean ag na cumannaithe ar an cheantar a thaistil siad; ach i gceann tamaill tháinig siad ar ais leis an scéala go raibh na ceithearnaigh ag cur na sagart ar fuascailt agus gur mhian leo iad a mhalartú ar ghunnaí. Idir sin is tráthas chonaic Caitlicigh eile an bheirt sagart ar bhád.

D'fhág an t-easpag Sien Tao Chen agus chuaigh go dtí misean eile. Dúirt Caitlicigh na háite sin leis gur mhaith leo go huile dul chun faoistine agus Comaoineach a ghlacadh ar son na sagart. I ndiaidh Aifreann an Dómhnaigh chuaigh sé go dtí an chéad " Christianity " eile, trí mhíle ó línte an Airm Dheirg, agus chonaic sé an teach pobail lán go doras le daoine ag déanamh turas na croiche. Bhí taispeáint phoiblí na Naomh-Shacraiminte aige anseo, gan foirmiúlacht ar bith. Siocair nach raibh aon oisteansóir ann chuir sé an Naomh-Shacraimint isteach ina phioscas agus chuir an pioscas sa chailís, á clúdach le páilín agus paiteana. Ar feadh an lae bhí na coinnle ar lasadh le taobh na mbláthanna bréige, agus teach an phobail lán le daoine ag canadh na n-urnaithe fada.

Chuaigh níos mó ná dhá chéad lá thart sular scaoileadh saor an bheirt sagart. D'fhulaing siad cuid mhór an fhad a bhí siad i ngéibheann. Uair amháin thug siad iarraidh éalú, ach gabhadh iad arís, agus uaidh sin amach choinnigh na ceithearnaigh iad ar oileán ar Loch Dearg (b'oiriúnach an t-ainm é). Idir an dá linn scríobh an t-easpag chuig gach duine oifigiúil dá raibh ar a aithne, agus choinnigh dlús leis na hurnaithe.

Sa deireadh fuair sé an scéala go raibh siad saor, agus cé gur beag nár bádh iad nuair a bhris stoirm thobann ar an abhainn, chonaic sé an bhratach bhán ar an chrann. Ba é seo an comhartha a raibh sagairt Hanyang ag feitheamh leis. Níl léamh ná scríobh ar an fháiltiú a fuair na braighdeanaigh nuair a d'fhill siad ar an dara lé de mhí na Nollag.

Thart faoin am seo chruinnigh sagairt de rang na bliana 1909 cuid mhór airgid in Éirinn mar bhronntanas dá n-easpag féin. Scríobh sé ar ais ag tabhairt buíochas dóibh agus ag tairiscint litir a chur chuig gach duine acu. " Táimid inár gcónaí in Ifreann," scríobh sé. " Ag Dia féin atá a fhios cad é an deireadh a bhéas air. Rud aisteach ar fad é an saol, agus éiríonn sé níos aistí gach lá. . ."

Bhí a " phálás " taobh thiar de bhalla beag bán ar imeall na habhann. Seomra naoi dtroithe ar airde a bhí ann, dhá fhuinneog air agus ceithre phána i ngach fuinneog. Ar oscailt an dorais duit chífeá a mhaoin shaolta d'aon amharc: an leaba Shíneach cois an bhalla, an tábla garbh nach raibh de chlúdach air ach seanpháipéir nuachta, an portús agus an leabhar gnásanna ina luí ar an tábla, boscaí móra ag bun na leapa a raibh na héadaí eaglasta agus uirlisí an Aifrinn iontu, agus an parasól glas sa chúinne.

An geimhreadh roimhe sin chónaigh sé i mbothán uafásach a lig an bháisteach isteach go flúirseach. Ní raibh im ná bainne aige an geimhreadh sin go huile. Bhí fuachtáin ar a lámha. Is é a deireadh na sagairt: " Tá toil dhaingean ag E. J. . . Nuair a chinneann sé ar rud a dhéanamh ní ghéilleann sé go deo." Nuair a deirtí leis gurbh fhearr i bhfad an áit seo a bhí aige i mbliana, d'aontaíodh sé go fonnmhar:

" Tá an teach pobail i gcóngar, agus tá an pobal féin in aice liom, agus cad é eile atá de dhíth orm.

NÍOR LUÍOS MO SHÚIL

MÁ théann tú chun na Síne choíche tá seans ann go mbeidh tú ag stopadh san óstlann Teh Ming i Hankow. Taispeánfar duit marc bán ar an bhalla thart faoi airde fir, agus beidh duine éigin lena insint duit gur éirigh an Yangtse an airde sin i mí Lúnasa, 1931, gur creachadh 7,000,000 acra, gur fágadh ocht gcúige faoi uisce, agus gur ruaigeadh nó gur bádh 50,000,000 duine.

Tá buntobar an Yao Chan Ho (an abhainn mhailíseach) thuas sa Tibeid. Tagann an t-uisce anuas ina rabharta tríd na caoil ag Ichang, á dhoirteadh amach sa mhachaire mór meánach, áit a mbíonn sé ag éirí agus ag titim ó Lúnasa go hEanáir, chomh rialta le duine ag tarraingt a anála. Ach le cuimhne na ndaoine ní raibh a leithéid de thuile ann is a tháinig an chéad seachtain de Lúnasa, 1931. Níorbh fhada go raibh an talamh íseal i dtrí chathair Wuhan faoin uisce, cúig troithe déag in áiteanna. Bhí cuid mhór lastaí ina luí millte sna tithe stóir. Bhí coirp daoine agus eallaigh ag éirí ar an tsnámh. Briseadh na díoga go huile timpeall Hanyang. Deirtear gur bádh níos mó ná dhá mhíle dhéag i Hankow féin.

Nuair a bháití coisí bocht éigin sna sráideanna, tharraingítí an marbhán ar téad tríd an bhaile agus é greamaithe le graiplín beag. Chonacthas gach cineál "bád" ag dul thart, tobáin, cláir adhmaid, doirse, leapacha, agus anois is arís, cónraí. Milleadh na barra, rís agus tae, agus bhunaigh an Rialtas ciste cúnaimh. Deich milliún dollar a bhí ar intinn ar dtús acu, ach roimh i bhfad b'éigean an méid sin a ardú go caoga milliún. Chuir Impireoir na Seapáine deich míle punt chucu agus chuir an Pápa trí mhíle.

Ar an 27ú Lúnasa, nuair a bhí an tuile ag éirí agus an aicíd ag teacht ina diaidh, bhris dóiteán uafásach amach ar an taobh thall den Yangtse, i sealbhas an Texas Oil Company i Hankow. Bhí siad ag díluchtú beinséine nuair a thit sorn cócaire i gceann de na siuncaí. Rith an bhenséin dhóite ar chraiceann an uisce agus isteach sna tithe stóir leis an sruth. Taobh istigh de chúpla nóiméad bhí an áit go huile ina caor thine. D'amharc an t-easpag agus na sagairt anonn agus chonaic siad na drumaí cruach ag dul suas céad slat sa spéir agus ag pléascadh mar a bheadh fearg Dé ann.

Chruinnigh na dídeanaithe isteach i gclós an mhisin i Hanyang ón tír maguaird. Dúirt na cumannaithe leo gur mhór an masla é bia a iarraidh ón choimhthíoch, ach níor thug siad féin cuidiú ar bith uathu agus thit an t-ualach ar an mhisean, mar ba ghnách. Níorbh fhada go raibh ocht gcéad duine cruinnithe ann. Bhí tithe an easpaig agus na sagart faoi ocht slat d'uisce in áiteanna, agus bhí siad go léir ag baint fúthu ar an urlár bairr. Thagadh siad isteach is amach i mbád, agus ba ghnách leis na mic léinn snámh ón stóras go dtí an príomhtheach, ag tarraingt troscáin agus eile ina ndiaidh.

" Ó tháinig mé chun na Síne an chéad uair riamh," scríobh an t-easpag chun an bhaile, " ní fhaca mé aon amharc chomh léanmhar. Ón chnoc ag cúl an tí tá an tír go hiomlán ina farraige mhór. . . Tá ocht gcéad duine anseo, sa scoil bhróidnéireachta, sa chaiticiúmanacht, sna tithe, sa chlochar. Ar thaobh an chnoic tá céad Caitliceach eile. Níl áit againn dóibh. Níl a fhios againn cad é is féidir a dhéanamh leo. . . Is í seo an bhliain is measa ó tháinig muid anseo den chéad uair. . . Tá an Yangtse trí slata is caoga níos airde ná is gnáth, agus tá sí ag ardú fós. Tá na cumannaithe ag dúnmharú daoine i ngach áit timpeall. Nach millteanach na cladhairí iad ! Dá olcas anois an cás táim ar crith ag smaoineamh ar an gheimhreadh atá rómhainn. . . Bígí ag guí ar ár son go mairfimid an geimhreadh."

Tháinig na tuilte go tobann. Bhris an Yangtse na díoga ar a cúig a chlog ar maidin, agus nuair a bhí na sagairt ag léamh an Aifrinn sa mhisean bhí an t-uisce ag slaparnach ar chéimeanna na haltóra. D'éirigh leo an troscán a thabhairt amach as teach an phobail, ach faoin am a raibh duine amháin ag baint anuas lampa an tsanctóra bhí an t-uisce go dtí a dhá ghualainn air. Chuaigh an t-easpag thart i mbád ag stiúradh na hoibre. D'éirigh leo corrrud a tharrtháil, dealbha, cófraí, bairillí, bia stáin agus mar sin de.

B'iad na cumannaithe amháin a bhain leas as anró. Thosaigh siad a ghoid bád agus cibé eile a bhí le fáil. Rith an pobal amach as a mbealach agus bhailigh le chéile go dlúth ar bharr na gclaíocha, gan teach gan bia. I rith an lae bhí siad dóite faoi ghrian na Lúnasa agus le teacht na hoíche chloistí glao brónach na bpáistí.

Chuir an t-easpag deireadh le gach rud eile a bhí ar siúl aige agus thug a aghaidh ar an dá chnoc os cionn an chlóis, Cnoc na Tortóise agus Cnoc Dubh. Bhí timpeall ar chaoga míle duine thuas ansin, cuid acu marbh gan uaigh, cuid acu ina gcónaí i bpubaill bheaga de mhataí cocháin, an t-uisce bréan ag slaparnaíl timpeall orthu ar an phuiteach dhearg, an bás ag druidim isteach orthu le calar, fiabhras tíofóideach, fiabhras ballach, maláire, dinnireacht agus ocras.

Chuaigh an t-easpag, na sagairt agus na siúracha isteach sna pubaill ar na ceithre boinn le friotháil ar na daoine a bhí tinn nó ag fáil báis. I Meán Fómhair baisteadh dhá mhíle duine. Chuaigh lucht an mhisin amach gach maidin le cógais, bia, buadáin agus steallairí fodheirmeacha. Bhí an t-easpag féin ar a chois ocht n-uaire déag sa lá, agus go mion minic ba bheag an só a fuair sé ina dhiaidh sin féin. Bhíodh an t-ádh leis codladh ar urlár an tseomra folctha i gcuideachta na sagart eile agus na buillí casúir ina gcluasa ón scálán amuigh, áit a raibh cúigear siúinéiri ag déanamh ragoibre ar chónraí.

Faoi lár Dheireadh Fómhair bhí an tuile cúig slata déag ní b'ísle, ach bhí an chuid is mó de na cathracha faoi uisce go fóill. Ba é an t-ocras agus an dinnireacht a ba mheasa anois. Bhí an taobh theas den bhiocáireacht faoi na cumannaithe, agus na sagairt as na ceantair sin ag obair timpeall ar Hanyang. Tugadh dídean do dhá chéad go leith duine i gclós Shiúracha Loreto, agus do cheithre chéad eile i gclochar nua Shiúracha Naomh Colmán. I mí na Samhna dúirt duine éigin a bhí ag coinneáil cuntais go raibh thar ceithre mhíle páiste baiste acu agus cógais tugtha do níos mó ná céad míle. Agus ní raibh deireadh ar an scéal go fóill.

Théadh na siúracha amach gach maidin i dtreo na gcnoc, beirt ghasúr bheaga rompu ag iompar na gcógas. Shiúlaidís ar feadh fiche nóiméad agus ansin théidís i mbád go dtí an Cnoc Dubh. Chuiridís an lá isteach ansin agus d'itheadh cúpla ceapaire am éigin i lár an lae, nuair a bhíodh an fhaill acu. Bhíodh na pubaill chocháin dubh le cuileoga, an chuil mhór ghormcheannach a thugadh na cruimheanna léi, agus bhíodh seanduine ina luí anseo is ansiúd clúdaithe le cruimheanna, gan chuidiú gan taca. Anois is arís deireadh gasra éigin leis na siúracha go raibh siad " ceart go leor " agus gan bacadh leo, mar go raibh an " Poo-Jay " leo. B'eisean an fear arthaí pagánach. Ansin ag deireadh an lae théidís ar ais go dtí an clós agus na lampaí alcóil ag smailceadh os cionn na mbuidéal, na mbascaed agus na mbradán.

Scríobh an tEaspag Ó Gealbháin abhaile i mí na Samhna, 1931:

". . . Táim cinnte go mbeidh iontas ar chuid mhór de bhur léitheoirí—go háirithe na dochtúirí—cad é mar is féidir le misinéirí gan aon oiliúnt leighis obair den chineál seo a dhéanamh. Tabharfaidh mé míniú ar an cheist sin i gceann nóiméid; ach, ar dtús is cóir dom a rá go bhfuil meas thar an choitiantacht ar an dochtúireacht ag gach sagart atá ag obair sa tSín. Is beag duine againn nach bhfuair ceann de na haicídí seo sa tSín ó am go ham, agus is iomaí uair a fuaireamar leigheas ó dhochtúir Eorpach éigin nach nglacfadh pingin rua uainn. Bíonn na sagairt anseo i gcónaí ag caint faoi ghanntanas dochtúirí agus a leithéidí ar na misin agus ag déanamh gearáin cionn is nach bhfuil siad féin in inmhe pianta a dtréada a mhaolú.

" Mar sin féin, is maith an rud cuimhneamh go bhfuil beagán eolais ar na haicídí seo ag cuid mhór sagart ar na misin de dhroim riachtanais. Faigheann gach sagart suas an tír dinnireacht ó am go ham, agus maláire, agus mar nach bhfuil aon dochtúir in aice leis, agus é na mílte míle ón tsibhialtacht, caithfidh sé é féin a leigheas.

" Bhí rud beag eolais againn ó thús ach ba mhéanar dúinn go raibh an tAthair Mac Dónaill linn. Tá seisean ina dhochtúir cáilithe.* Rinne an tSiúr Máire Pádraig cúrsa faoi leith ag Scoil an Leighis Teochreasaigh i Londain, agus tháinig an tSiúr Máire Iognáid as Ospidéal Naomh Uinseann, Baile Átha Cliath. Faoina dtreoir, thosaigh na sagairt ar an obair. Chuaigh na hAithreacha Ó Coileáin, de Búrca, Staples, Ó Murchú, Ó Doibhlinn agus Ó hÓgáin, agus beirt de na siúracha, go dtí an Cnoc Dubh. Chuaigh na sagairt agus na siúracha eile go dtí na cnoic eile in aice le Su-an. Thug na Siúracha Loreto dídean do níos mó ná dhá chéad cailín agus bíonn siad ag obair i measc na sluaite gan sos. San obair seo tá an tAthair Ó Raghallaigh, an tAthair Ó Lionacháin, an tAthair Mac Craith agus Mr. Sheureman ag cuidiú leo.

" Gach tráthnóna, nuair a fhilleann siad ó na campaí, tugann siad bascaeid na gcógas don Athair Mac Dónaill agus do na

---

* Seo an F. R. ar thiomnaigh A. J. Cronin dó a leabhar clúiteach, *The Keys of the Kingdom.*

siúracha, ionas go líonfaí don chéad mhaidin eile iad. Bíonn ranna speisialta sna bascaeid faoi choinne gach leighis.

" Nuair a bhíomar ag dul den obair seo ar feadh tamaill, cuireadh Cumann Náisiúnta Fóirithinte Hanyang ar bun. D'iarr siad orainn cuidiú leo san obair. Gan éirí as ár n-obair féin, chuaigh cuid de na sagairt seo ag obair leis an chumann seo, ag tógáil scálán agus ag roinnt bia agus leighis. D'ainmnigh comhairle an chumainn an tAthair Mag Uidhir ina cheann ar Roinn na Sláinte agus Sláintíochta, agus an tAthair Ó Murchú i gceannas an lóin bia.

" Thart faoin am seo tháinig an Dochtúir Chien, fear Síneach, a chuidiú linn. Bhí eagla an domhain orainn faoi aon aicíd amháin; leoga, bhí eagla orainn labhairt faoi nach mór—an calar. Shiúil sé na campaí mar a bheadh gaoth Mhárta ann. Thosaigh na sagairt agus uile a thabhairt sraith instealladh frithchalarach. Ba mhinic a thug siad do naoi gcéad sa lá é. San instealladh seo bhí nimhíoc faoi thrí, faoi choinne an chalair, an fhiabhrais thíofóidigh agus na paraitíofóide. Ba thoradh an chógais éifeachtaigh seo gur cuireadh stad leis an aicíd go gasta, agus gur tugadh na mílte slán."

Is iontach an rud é nár cailleadh oiread is aon sagart nó aon siúr le linn an ama seo. Thóg siúr amháin an calar, ach fuair sí biseach. Gabhadh an tAthair Sands thuas sa tír, ach tháinig scéala go raibh sé slán. I mí na Bealtaine ligeadh saor é, tar éis naoi mí i lámha na gcumannaithe. Choinnigh siad i mbraighdeanas é in aice leis an Loch Dearg, an áit chéanna a raibh an tAthair Ó Láimhín agus an tAthair Ó Lionacháin. Ba ghnách leis féachaint amach ar an uisce agus smaoineamh ar an rann:

Boats on the water! Boats on the water!
Tis wearisome watching them pass.
Oh, to stand once again at God's altar
And list to the bell of the Mass!

Chuir sé ceist ar a chuid gardaí lá amháin an raibh atlas acu, ionas go dtaispeánfadh sé Éire dóibh. Bhí marc dearg ar na cathracha sin a raibh cumannaithe iontu, dúirt siad. Nuair a chonaic sé an marc sin ar Bhéal Feirste, ar Bhaile Átha Cliath agus Corcaigh, baineadh cliseadh as, agus dúirt sé leis an Easpag Ó Gealbháin ina dhiaidh: " Tá súil agam go bhfuil sin contráilte! "

Faoi Bhealtaine, 1932, tháinig ordú ón arm do na dídeanaithe dul ar ais go dtí a gceantair féin thuas an tír, cé go raibh na háiteanna seo faoi chumhacht na gcumannaithe go fóill. Tharraing an t-ordú seo ceist eile anuas, mar nuair a chuaigh na daoine bochta abhaile—más ceart " baile " a thabhairt ar na gabháltais bheaga a bhí faoin tuile—bhí sé ró-mhall le barr geimhridh a chur, agus chonaic siad sé mhí eile ocrais rompu. D'ithidís féar nó biolar, nó beagnach aon rud a bhí ag fás. I rith an lae ghearraidís adhmad, théidís ag iascaireacht nó ag iarraidh a gcoda, agus ansin le teacht na hoíche théidís ar scoil le teagasc Críostaí agus urnaithe a fhoghlaim. Ní cúrsaí creidimh amháin a thugadh orthu seo a dhéanamh. Deireadh sagairt leo nach raibh acu ach scoil agus creideamh le tabhairt dóibh, ach ba chuma. Tháinig siad ina sluaite. Shocraigh an tEaspag Ó Gealbháin misin nua a bhunú thart ar chathair Hanyang féin. Bhí an ceantar seo an-phágánach ar fad, ach go dtí seo ní raibh siad ábalta freastal a dhéanamh air.

Bhí an Chomhdháil Eocairisteach i mBaile Átha Cliath an samhradh grianmhar sin. Scríobh an Dealagáidí Aspalda chuig an Easpag Ó Gealbháin faoin Chomhdháil agus dúirt go ndéanfadh sé a lán maithis da mbeadh an t-easpag Síneach-Corcaíoch i láthair. Ach san am céanna dúirt sé: " Is é mo bharúil féin gur fearr duit fanacht ag do shagairt agus ag do phobal dílis."

Scríobh an t-easpag chuig an Uachtarán Ginearálta in Éirinn.

Biocáireacht Hanyang,
Hupeh, an tSín.
29ú Feabhra, 1932.

" A Dhochtúir Uí Dhuibhir, a chara,

" De bhrí go bhfuil an Bhiocáireacht agus an tír seo go huile chomh buartha corraitheach sin, bhí amhras orm ar cheart dom dul go dtí an Chomhdháil. Mheas mé gur cheart dom scríobh chuig an Dealagáidí Aspalda faoi, agus tá a fhreagra istigh leis an litir seo. Ba mhór an pléisiúr dom bheith ag an Chomhdháil in Éirinn, ach aontaím leis an Dealagáidí. Cibé beagán is féidir liom a dhéanamh anseo, sílim go bhfuil sé de dhualgas orm fanacht.

" Ghlac mé leis an chuireadh go dtí an Chomhdháil a fuair mé ón Rúnaí Oir. agus measaim gur mhaith an rud dá dtaispeánfá litir an Dealagáidí Aspalda dó, agus dá ndéarfá leis gur cúis aiféala dom gan bheith i láthair.

Le gach dea-ghuí,
Mise le meas,
E. S. Ó Gealbháin."

Mar sin de, fad a bhí na sluaite síoraí ag tarraingt ar Bhaile Átha Cliath agus ar Pháirc an Fhionnuisce le héisteacht le Seán Mac Cormaic ag canadh Panis Angelicus ag an Aifreann mór, sheas Easpag Hanyang an fód, " i bhfad i gcéin " mar a deir an t-amhrán. D'iompair sé an t-oisteansóir thart ar an fhaiche os comhair Theach Naomh Colmán mar ba ghnách, agus cé gurbh fhada ó na fáibhilí glasa agus an Teach Leasríoga é, ba é an Tiarna céanna a bhí ag amharc amach ar na fir sa tSín, ag iompar an cheannbhrait faoina gcuid clogad bán, agus ar na girseacha beaga faoina gcuid trilseán ag scaipeadh bláthanna ina shlí in Éirinn.

DÚTHAIGH CHOMH BREÁ

Ó LÁR Meán Fómhair, 1932, bhí an chuma air go raibh fórsaí an Rialtais ar tí an lámh in uachtar a fháil ar na cumannaithe faoi dheireadh thiar thall. Bhí an scéala ag teacht isteach go raibh na Dearga ag cúlú ar gach taobh, fiú amháin ón Loch Dearg míchlúiteach féin. Nuair a bhí siad in ardréim sa tír, ba ghnách leo clog theach an phobail a bhualadh agus a rá leis na Caitlicigh: " Tá an clog buailte; nach bhfuil sibh ag dul chun Aifrinn ? " Bhí cuid mhór rudaí curtha i bhfolach ag an phobal anseo is ansiúd, sna lochtaí, sna cruacha arbhair, sna páirceanna agus sna lochanna. Anois agus an t-easpag agus na sagairt ag gluaiseacht amach tríd an tír arís, tugadh na soithí, na dealbha agus mar sin amach go hoscailte. Nuair a chastaí a seanchairde ar na sagairt choinnídís greim orthu mar bheadh leisc orthu scaradh leo.

Scríobh an t-easpag abhaile faoi Shamhain:

" Tar éis blianta círéibe agus léin, tá síocháin sa Bhiocáireacht seo. Tá na cumannaithe briste; tá ár bpobal sa bhaile arís. D'fhág na tuilte agus an creachadh a lorg—tá misin ann nach bhfuil iontu ach an díon agus na ballaí; goideadh na brait altóra, scriosadh na haltóirí féin. Mar sin féin tá cáil níos airde ar an Eaglais ná bhí riamh. Tá na mílte ag teacht isteach ón cheantar máguaird ar lorg an chreidimh. Ní raibh a leithéid de thuileadh isteach riamh."

Bhí céad, daichead is trí shagart i gCumann Naomh Colmán ag an am seo. Bhí 44 i Hanyang agus ceathrar sagart Síneach. Chomh maith leis sin bhí 248 mac léinn, 60 siúr, ceithre choláiste, clochar amháin agus dhá réigiún, Hanyang agus Kiangsi, acu. Bhí timpeall 20,000 Caitliceach i Hanyang, ach bhí athrú le teacht. I Sien Tao Chen, áit ar gabhadh an tAthair Ó Láimhín agus an tAthair Ó Lionacháin, bhí 12,000 duine ag lorg baiste. I Tsan Dan Kow bhí 16,000. I gContae Mienyang ar fad cláraíodh níos mó ná 24,000 mar chaiticiúmanaigh. I ndiaidh na dtuilte, samhlaíodh go raibh an tuile nua seo ag teacht ó Dhia féin.

Sa tseanam thugtaí teagasc Críostaí in áiteanna meánacha do scata measartha mór, caoga nó céad duine. Le linn an gheimhridh a thugtaí an teagasc, ach anois ba léir nár leor sin. Chuaigh an t-easpag i gcomhairle le beirt sagart an-chruógacha, an tAthair Ó Laochra agus an tAthair Mac Giolla Mhuire, agus shocraigh siad ar scéim nua. Chuirfeadh siad scoileanna oíche ar bun sna sráidbhailte, agus bheadh teagasc Críostaí le fáil ó cheann go ceann na bliana, ach amháin le linn teasa mhóir an tsamhraidh. Bheadh scoileanna lae agus oíche i ngach sráidbhaile, don aos óg sa lá agus do na daoine fásta san oíche. Nuair a bheadh duine réidh leis an scoil oíche, rachadh sé go háit speisialta, in aice le teach an tsagairt, le teagasc níos cruinne a fháil, agus ansin bhaistfí é. Ionas go leanfadh siad buan sa chreideamh bheadh scoil sheasta lae sna sráidbhailte, agus dhéanfadh an sagart cuairt na scoileanna seo go rialta, i gcrúth is go mbeadh na fíréin ábalta dul chun na sacraimintí dhá uair sa bhliain ar a laghad. Rud eile, bheadh sé nó seacht de mhaistrí, " seanChaitlicigh," os cionn trí nó ceathair de shráidbhailte le chéile.

Seo iad na figiúirí ó pharóiste amháin,

Tsan Dan Kow:

Bliain		Iompú
1932-33	..	500
1933-34	..	900
1934-35	..	600
1935-36	..	300
1936-37	..	1,800
1937-38	..	3,000
1938-39	..	3,000

Sa bhliain 1938 baisteadh 7,915 duine fásta i mbiocáireacht Hanyang, 5,000 níos mó ná i mbiocáireacht ar bith eile sa tSín. Le linn na tréimhse seo thuas fuair níos mó ná 40,000 pagánach teagasc iomlán agus baisteadh. Bhí siad ag sárú gach áite eile sa tSín. " B'fhéidir go mbeadh Hanyang chomh Caitliceach le hÉirinn lá éigin," dúirt an t-easpag le fear de na sagairt.

Is fíor gur le dua mór a thuig na pagánaigh Shíneacha cad é a chiallaigh na focail aisteacha sin, Dia, Ionchollú, anam, agus mar sin de, ach thuig siad carthanacht agus comhbhrón, agus tháinig siad isteach sna scoileanna oíche ina sluaite. Ba mhinic a thagadh giollaí na ricseánna isteach caol díreach ó na sráideanna, agus chluintí iad ag canadh an teagaisc Chríostaí agus na n-urnaithe go dtí a naoi a chlog san oíche.

Gach bliain thagadh easpaig, misinéirí agus maoir aspalda na Síne Meánaí le chéile i Hankow, faoi uachtaránacht an Dealagáidí Aspalda. Deireadh na heaspaig gurbh é an tEaspag Ó Gealbháin réalta eolais na gcruinnithe seo. Chuaigh a chlú amach tríd an tír, trí shráideanna na cathrach agus na sráidbhailte thuas ar na " th'ees." Go minic chuirtí fáilte roimhe mar a bheadh rí laochta ann, bratacha ag lúbarnach sa ghaoth agus na tinte ealaíne ag cur aoibhnis ag óg agus aosta. Faoi Nollaig, 1933, bhí sé i bparóiste an Athar Uí Mhuirí, agus ba shéanmhar an Nollaig í. Cathaoir mhór Shíneach a bhí acu dó sa teach pobail, agus nuair a tháinig an tráthnóna bhí ceolchoirm ann. Bhí beirt fhear gléasta mar a bheadh leon ann, agus chuaigh " an leon " suas ar bharr na dtáblaí agus bheannaigh don easpag gur bhris an ghárthaíl agus an bualadh bos amach.

Scríobh Comhthionól Naofa Propaganda Fide chuige, ag déanamh comhghairdis:

" Rinneadh Críostaithe de 91 duine . . . in aghaidh gach sagairt i do bhiocáireacht . . . seo anois luach bhur saothair faoi dheireadh. . . . . Fanaigí i gceann na hoibre le misneach agus le caondúthracht. Tá bealach fada romhaibh go fóill. In bhur mbiocáireacht tá 5,000,000 pagánach taobh amuigh de thréad Chríost go fóill.

Cairdinéal Fumasoni-Biondi."

Fuair sé litir eile ón Chomhthionól céanna an bhliain ina dhiaidh sin, ag déanamh comhghairdis faoi iubhaile cúig mbliana fichead a shagartachta:

" Anois agus an cúigiú bliain is fiche de do shagartacht ag teacht chun deiridh, le háthas iarrann an Comhthionól Naofa seo gach beannacht ó Dhia ort.

" Le haon bhliain déag ar fad, d'oibrigh tú go crua in bhur misean sa tSín, agus d'éirigh chomh maith leat ar gach bealach gur tú féin an chéad bhall de Chumann Naomh Colmán a ndearnadh easpag de.

" Le linn na mblianta seo go léir bhí achrainn agus dainséir ann nach raibh a leithéidí ann cheana; bhí sé chomh holc sin gur maraíodh cuid de bhur sagairt féin. D'fhan tusa i gceann na hoibre mar sin féin agus níor briseadh d'urra. Ba chuma leat faoi na bagairtí. Tá an fómhar fras anois aibí le baint cé gur le deora a cuireadh an síol.

" Go dtuga Dia go dtabharfaidh tú pagánaigh dhochuimsithe chun Críost agus go gcuirfidh tú go domhain fréamhacha na hEaglaise Caitlicí sa tír sin.

" Idir an dá am, iarraim go dúthrachtach ar Dhia Uilechumhachtach go dtuga Sé duit gach grásta agus beannacht ar an tsaol seo agus ar neamh.

" Gach dea-ghuí duit féin agus do do chomh-mhisinéirí.

Mise go dúthrachtach i gCríost,

P. Caird. Fumasoni-Biondi. Praef.

✠ Carolus Salotti."

Bhí coláiste nua d'oiliúnt gasúr Síneach chun na sagartachta críochnaithe anois, agus bhí obair ar chaiticiúmanacht nua faoi sheol. Chonacthas don Easpag Ó Gealbháin go raibh seans anois aige dul ar saoire go ceann tamaill. Fuair sé cuireadh go dtí an Chomhdháil Eocairisteach i Melbourne mar ionadaí Chumann Naomh Colmán. Ar ndóigh, ba é an tArdeaspag Ó Mainchín, a sheanchara Corcaíoch i Má Nuat fadó, bunaitheoir na comhdhála seo. Ar a bhealach chun na hAstráile, ghlaoigh sé ar a chomrádaithe a bhí ag obair i Manila, sna hOileáin Fhilipíneacha.

Ba ghnách leis scéal amháin faoin aistear seo a insint go minic. Lá amháin bhí sé féin agus a sheanchara, an tAthair Ó hEighneacháin i dteach pobail éigin i Malate. Bhí sé ag éisteacht le cur síos ar an sórt creidimh a bhí ag na daoine ansin, an dúil mhór a bhí acu sna mórshiúlta agus sna dealbha.

" Féach air seo," arsa an tAth. Ó hEighneacháin, nuair a thug sé faoi deara seanfhear ag teacht isteach an doras. " Pógfaidh an seanfhear seo gach ordóg de gach dealbh sa teach pobail seo agus ní bhuairfidh sé a cheann leis an Naomh-Shacramaint." Choinnigh siad súil air agus é ag déanamh turais chuig na dealbha, ach sa deireadh chuaigh sé suas i dtreo na haltóra agus shín é féin béal faoi ar an urlár.

" Amach linn, a Ned," ar seisean. " Níl aithne ar bith againn ar na daoine seo."

Ó Mhalate chuaigh sé go dtí an Astráil. Ceithre bliana déag roimhe sin, bhain Clann Naomh Colmán an tír sin amach ar chuireadh na n-easpag. Bhí coláiste acu anois i Melbourne, agus misinéirí ón Astráil ag obair lena gcomrádaithe ó Éirinn agus ó Mheiriceá. Ba mhór an t-áthas a bhí air athaithne a chur ar a sheanchairde, an tArdeaspag Ó Mainchín, Uachtarán Mhá Nuat fadó, agus Leagáid an Phápa chun na Comhdhála, an Cairdinéal Mac Ruaidhrí, a sheanollamh.

Chuaigh sé ó na fritíortha go dtí na Stáit Aontaithe, agus thug léachtaí anseo agus ansiúd ar feadh cúpla mí sular imigh sé chun na Róimhe lena chuairt ad limina a thabhairt ar an bPápa, Pius XI. Thug sé agallamh do lucht na nuachtán, ag rá: " Tá ár bhfiacha go huile amuigh ag Éirinn—ag na heaspaig, an chléir agus muintir na hÉireann."

Ar an 16ú Nollaig, 1935, bhí an scéal sna nuachtáin Éireannach go raibh sé ag Teach Naomh Colmán, an Uaimh, agus gurbh é a dhéanfadh sagairt de na mic léinn shinseartha i nDealgán, an t-aonú lá is fiche. Tá dóigh faoi leith ag mic léinn chun scéalta an domhain mhóir a chruinniú ón taobh eile den bhalla. Ón chéad uair a chuala mic léinn Dhealgáin é bheith in Éirinn thosaigh siad a choinneáil lorg air. Nárbh iontach an rud é dá dtiocfadh sé le linn na scrúduithe ! Ansin, tráthnóna Céadaoine amháin, bhí siad istigh ag obair nuair a chonaic na " fairtheoirí " soilse gluaisteáin ag teacht aníos an cabhsa. Taobh istigh de chúpla nóiméad bhí gach seomra folamh agus dhá chéad mac léinn cruinnithe thart ar an bheirt, an tAthair Ó Bláthmhaic agus a n-easpag féin.

Ba mhór an ghárthaíl a bhí ann. Laoch scéalaíochta ab ea an fear mór seo ón tSín don chuid is mó de na mic léinn, agus anois, seo rompu é, loinnir róghánta ina shúile agus cuma aisteach bhrónach na humhlaíochta air faoi sin. Pléascadh tine ealaíne áit éigin, agus bhrís an gáire amach nuair a dúirt an t-easpag gur shíl sé go raibh sé ar ais i Hanyang. Chuir duine éigin ceist faoi na scrúduithe agus tháinig an fógra go raibh siad curtha siar, agus arís an ghárthaíl. Bhí na h*ordinandi* ar chúrsa spioradálta ag an am seo, agus mar sin de ní raibh siad in ann a bheith rannpháirteach san fháilte—ach ba ghéar an chluas a thug siad di.

Tar éis Beannacht na Naomh-Shacraiminte agus an tae chuaigh siad uile go Halla an Scrioptúir agus bhí fáilte oifigiúil agus ceolchoirm ann. Nuair a bhí a tUachtarán ag caint, thug sé sliocht as an dán a chum an tAthair Paidí Ó Conchobhair, fear as rang 1923:

For this is the dream that the old men dreamt,
  The vision the young men see
To march in the glory of Pentecost,
  To bear to the nations the sweet white Host
And the truth to make them free.

D'éirigh an t-easpag ina sheasamh ansin agus dúirt: " Is comhoibrí mise i Misean Mhá Nuat chun na Síne, agus is easpag mé per accidens. Tá mé cinnte go bhfuil sibh go léir tuirseach ag an am seo den bhliain agus mholfainn seachtain eile a chur le saoire na Nollag." Bhris an ghárthaíl amach arís, ach bhí lámh an Uachtaráin in airde cheana agus géilleadh don iarratas.

Bhí mé ag caint le gairid le sagart a bhí ina mhac léinn sa " tseanDealgán " an t-am seo, agus dúirt sé nár chuala sé aon duine riamh a bhí ábalta labhairt mar a labhair " E. J." Nóiméad amháin bhí do chroí á chur amach agat ag gáire, agus an chéad nóiméad eile deireadh sé rud éigin a raibh saighead na fírinne ann, rud narbh fhéidir teacht ach ó bheatha dhomhain spioradálta. " Dá ndéarfadh sé linn," arsa fear amháin, " ' Ar aghaidh a lads, anois,' rachaimis ina chuideachta go dtí an Mhongóil."

Dé Domhnaigh, an 21ú Nollaig, d'oirnigh sé 26 mac léinn sa teach pobail beag iarannroctha. Bhí níos mó ná ba ghnách sa rang seo agus tugadh an Rang Mór (The Big 26) air. Bhí tríocha thar an chéad cuairteoir i láthair, agus nuair a bhí na deasghnátha thart chuir an tUachtarán an tEaspag Ó Gealbháin agus an tAthair Ó Bláthmhaic in aithne dóibh. Ba bheag an tsúil nach raibh deoir inti nuair a dúirt an t-easpag: " Thug cuid mhór daoine airgead go flaithiúil leis an obair seo a chur i gcrích, ach thug sibhse, na tuismitheoirí, bhur ngaolta fola féin ionas go dtabharfaí an Soiscéal do na bochta."

Ní raibh mórán ama le spáráil anois agus thosaigh an Domhan Thoir á mhealladh arís. Bhí sé thar an leathchéad, agus de thoradh na saoire bhí meáchan beag curtha suas aige. Bhí a mháthair fíordhíomách nuair nach dtáinig sé abhaile sa bhliain 1932, agus nuair a tháinig an bheirt acu le chéile ní mó ná gur aithin sí é. Bhí sí an-bhreoite ar fad, agus ní raibh lucht an tí in ann a chur i dtuiscint di go raibh an " tAthair Éamann," mar a thug sí air i gcónaí, i láthair.

Ansin, lá amháin i mí an Mhárta, nuair a bhí duine éigin ag tabhairt greim bia di, dúirt sí: " Glacfaidh mé ó mo mhac féin é." Tamall beag ina dhiaidh sin fuair sí bás.

AN ÁIT ÚD

NUAIR a d'fhill an tEaspag Ó Gealbháin ar Hanyang, go mall sa bhliain 1936, bhí an obair mhaith ag dul ar aghaidh. Tógadh an ardeaglais mar a tógadh an chliarscoil, gan ailtire ná conraitheoir, ach le cuidiú an Athar Mhic Chrosáin agus an Bhráthar Colmán. Scríobh an t-easpag urnaithe nua sa tSínis, agus dúradh go poiblí iad le linn Aifrinn ar fud na biocáireachta. D'ordaigh sé gurbh é an teaghlach, agus nach é an duine, a ndearcfaí mar aonad air nuair a bheadh a shagairt ag tabhairt fios an chreidimh do na daoine. Bhí i bhfad níos mó daoine ag dul isteach sna cliarscoileanna anois. I measc na ndúichí Caitliceach d'ardaigh céim Hanyang ón chúigiú háit is fiche go dtí an naoú háit. In áiteanna eile bhí an misean ag méadú fosta, sna hOileáin Fhilipíneacha, sa Chóiré, agus i mBurma. D'fhéadfadh duine bheith dóchasach go maith as an obair; ach bhí an fear seo ró-eolach ar dhóigheanna an Domhain Thoir, tar éis cúig bliana is fiche a chaitheamh ann, le bheith ró-dhóchasach.

Ó bhí an t-easpag sa tSín go deireanach ghluais Mao Tse Tung agus a chroíleacán airm dheirg amach as na pluaiseanna a bhí acu sna cnoic agus thosaigh ar an " Mháirseáil Fhada," 6,000 míle go Shensi. Tráth a bhí na mic léinn ag cur fáilte roimh a n-easpag in Éirinn, bhí Mao agus 15,000 eile tar éis Shensi a bhaint amach, agus bhí rialtas fógraithe acu. Chaill siad 35,000 fear ar a dturas, ach mar sin féin bhí siad láidir go leor le comhaontas a dhéanamh le Chiang Kai Shek in éadan na Seapáine. Uaidh sin amach, cé go ndearna siad a ndícheall le fealladh ar a chéile, lig Mao agus Chiang orthu nach raibh ach an t-aon namhaid amháin acu.

Ar an 7ú Iúil, 1937, d'ionsaigh na Seapánaigh Lukouchiao, ar an taobh thiar theas de Peking. Thosaigh siad a mháirseáil ó dheas agus ba léir go raibh ionradh iomlán ar siúl acu. Nuair a bhí an t-arm ag teacht aníos gleann an Yangtse, i dtreo Wuhan agus croí na Síne, cuireadh ráfla amach. Bhí na Seapánaigh in éadan na gcumannaithe, agus bhí an Eaglais Chaitliceach ina n-éadan mar an gcéanna. Mar sin de, dá mbeadh a fhios ag na Seapánaigh gur

Chaitliceach thú, bheifeá slán. Bhí a fhios ag an easpag agus ag na sagairt nach raibh bun ar bith sa réasúnaíocht seo, ach ba chuma. Tháinig na sluaite go dtí na misin, ag iarraidh dul isteach san Eaglais. Ag deireadh na bliana 1937, bhí gach aon duine i bparóiste an Athar Mhic Giolla Mhuire ag bualadh ar an doras. Bhí suas le céad míle sa pharóiste seo ! Ba í seo an ghluaiseacht ba mhó i dtreo na hEaglaise i stair na Síne.

Tháinig na Seapánaigh níos gaire do Wuhan. Cuireadh na saighdiúirí gonta ar ais go Hankow agus go Hanyang, agus bhí an t-easpag i lár na trioblóide arís. Tháinig easpaig Hankow, Wuchang agus Nanking agus é féin le chéile, agus chuir siad ar bun " An Cumann Síneach Caitliceach um Fhóirithint Chogaidh." Thaitin an plean seo le daoine ar fud an domhain, agus thosaigh an t-airgead a theacht isteach ón Chrois Dhearg, ón Chrannchur Éireannach, agus mar sin de. Osclaíodh doirse na misean arís agus isteach leis na sluaite, na maidí croise, na buadáin, an fhuil. Bhí " ospidéal " sa chaiticiúmanacht a raibh 250 ann. Sa scoil bhróidnéireachta bhí na hinnill ag obair gan stad ag déanamh éadaí do dhá mhíle duine. Sa dílleachtlann bhí lucht casúr agus sábh gnóthach ag déanamh leapacha, agus bhí lámha eile gnóthach ag cur cocháin isteach sna tochtaí. Nuair a bhíodh biseach ar na saighdiúirí gonta, agus acu le himeacht arís, chaoineadh siad le cumha, ag smaoineamh ar na seachtainí sin de chineáltas agus de shonas a bhí acu, agus an bealach a bhí rompu. Is iomaí duine acu a chuaigh amach agus bonn ó na siúracha feistithe ina éide cogaidh.

Shíl a lán daoine go raibh Wuhan as raon na n-eitleán Seapánach, ach faoi Mheán Fómhair cuireadh tús leis na haer-ruathair. Scríobh duine de na sagairt abhaile, ag rá: " Chualamar an bonnán ar dtús, agus ansin adharc na monarchan. Bhí tost iontach ann ina dhiaidh sin agus chualamar na héanacha ag glóraíl go himníoch, agus ansin an crónán bagrach, agus chonaiceamar naoi n-eitleán thuas sa spéir áit ar bhris na scamaill. Rinne siad socthumadh anuas, agus thugamar faoi deara an scal dhearg ghréine ar íochtar na sciathán, agus chonaiceamar na buamaí."

Bhí eitleáin na Seapánach ag déanamh ruathar ar Wuhan gach lá nach mór uaidh sin amach. Rinne siad cuid mhór damáiste i Hanyang ar an tSatharn roimh an Cháisc, agus ar an Domhnach fosta. Thit a lán buamaí i gceantar na teilgchearta, agus chonacthas an t-easpag agus é ina rith isteach agus amach sna tithe briste, ag tabhairt amach cibé duine a bhí fágtha. Ar an 16ú Lúnasa cuireadh ceantar Hsi Men agus Tung Men (an dá gheata) trí thine, agus chuaigh na sluaite a tharraingt ar Mhisean Naomh Colmán, mar a bhí de chleachtadh acu anois in am géibhinn. Bhris an calar amach agus b'éigean na daoine tinne a thabhairt go dtí hallaí sa chaiticiúmanacht. Chuir na sagairt an lá isteach ag múineadh, ag baisteadh, ag ungadh. Ní raibh am ar bith acu mórán a dhéanamh diomaite den mhéid a bhí riachtanach.

Chomh luath agus bhaistí duine éigin, chuirtí sreangán agus clib ghorm thart ar a mhuineal nó ar a sciathán. Go mall sa tráthnóna, théadh an t-easpag ó sheomra go seomra ag cur misnigh sna daoine, dá mb'fhéidir é. Bhíodh na siúracha ag obair san obrádlann go dtí a cúig a chlog ar maidin, agus tar éis sos beag, agus Aifreann ar leath i ndiaidh a sé, thosaíodh siad arís ar a hocht ar maidin !

Maidin Dé Sathairn, an 20ú Lúnasa, tugadh ordú don easpag an t-ospidéal a dhúnadh agus gach fear a bhí ann a chur go dtí Ospidéal Melotto i Hankow. Ní raibh sínteánaithe aige, ná ricseánna ná giollaí, agus b'éigean dó an t-aistriú seo a dhéanamh le cuidiú na ndaoine a bhí ag obair san ospidéal. An lá ina dhiaidh sin d'oibir siad ó mhaidin go hoíche agus ar a hocht a chlog oíche Dhomhnaigh bhí siad réidh. Le linn Aifreann an Domhnaigh bhí na buamaí ag titim arís, agus socraíodh go rachadh leath na siúracha go dtí *concession* na bhFrancach an oíche sin. An lá arna mhárach bhí aer-ruathar ann ag fiche nóiméad roimh a seacht ar maidin, ceann eile ar a haon déag, agus arís ar a trí a chlog tráthnóna. Bhí gach duine beagnach ag imeacht as Hanyang anois. Ba léir don easpag go mbeadh na Seapánaigh i Wuhan lá ar bith anois, agus nach raibh an dara rogha ag lucht an mhisin ach dul go *concession* na bhFrancach agus fanacht ansin go mbeadh deis acu filleadh. Ní raibh maith ar bith fanacht i Hanyang. D'fhág siad teach an phobail agus an sacraistí folamh, chuir comhlaí ar na fuinneoga, agus d'fhág an áit go huile faoi choimirce Naomh Colmán.

Bhí a fhios ag taoisigh an phobail iasachta, idir chléir is thuata, go raibh na díslí caite anois. Bhí cruinniú acu i Hankow. Bhunaíodar iad féin ina gcoiste, Coiste Sábhála, a raibh dhá chuspóir aige: cosaint a thabhairt do na daoine a bhí ina gcónaí sna

An tEaspag Ó Gealbháin le sagairt agus siúracha Síneacha as Deoise Hanyang. Ar thaobh na láimhe clé den phictiúr tá an tAthair Seosamh Seng a d'éag i bpríosún, Eanáir, 1953
Fóta: 1948

concessions agus dá sealúchas, agus dídean agus bia a thabhairt do na milliúin Síneach a bhí ag teacht isteach ina dtuile gan staonadh. Obair fathaigh ab ea í. Thug an Rialtas Síneach céad míle mála plúir, ach ní raibh áit stórais acu. Bhí orthu ceithre chistin is daichead a thógáil, agus a fhios acu go mbeadh níos mó ná dhá míle go leith duine ag teacht chuig gach cistin gach lá. Bhí gléasra de gach cineál uathu, searbhóntaí agus iompar.

Dúirt an tEaspag Gilman, easpag Protastúnach Hankow, gur mhaith leis an tEaspag Ó Gealbháin a bheith ar a choiste féin, Coiste Soláthar Bia, mar chomh-chathaoirleach. Taobh amuigh den bheirt seo, agus beirt eile, ionadaithe grúpaí Protastúnacha, gnóthadóirí ar fad a bhí ar an Choiste. Ní raibh siad i bhfad ag obair nuair a fuarthas amach gurbh fhear as an choitiantacht an t-easpag ó Hanyang. Ag cruinniú amháin dúirt fear éigin go dtiocfadh leis brosna a fháil ar ráta ríbhuntáisteach:

" I bhfad ródhaor," dúirt an Gealbhánach. " Is féidir liomsa sin a fháil níos saoire. Agus rud eile, beidh sé anseo ar an sprioc."

Rinne duine eile den choiste gáire agus dúirt: " Má éiríonn tú tuirseach choíche den obair atá idir lámha agat beidh obair agamsa faoi do choinne." " Ní bheidh," arsa duine eile. " Mise an chéad duine a chonaic é."

Chuaigh na laethanta thart agus b'fhollasach go ngabhfaí Hankow lá ar bith anois. I dtús Dheireadh Fómhair mháirseáladh scoláirí Chór na hÓige suas agus anuas Bóthar Kianghan, príomh-shráid na cathrach, agus gach scread astu:

" Troid go bás ! "

" Linne Wuhan ! "

" Amach leis an namhaid ! "

Chuir cuid den phobal a nguth leo, ach ní raibh a gcroí ann. Bhí siad róthuirseach den troid. Thosaigh daoine ar a siopaí a dhúnadh. Bhíodh streachlán fada acu ag fuireacht gach lá leis an bhád a théadh suas go hIchang agus Chungking. Ba scáfar an áit é thíos ar an ché le teacht na hoíche, gach duine ag brú chun cinn le háit a fháil ar an bhád, agus ansin an dream a bhí fágtha ag imeacht de shiúl coise, ag iompar cibé rud ab fhéidir leo, agus greim láimhe ag na páistí beaga ar a chéile.

Dé Domhnaigh, an 23ú Deireadh Fómhair, ghlaoigh an maor cruinniú éigeandála den Choiste Sábhála, agus bhí an tEaspag Ó Gealbháin ann. Dúirt an maor leis go raibh orduithe aige imeacht as an chathair, agus sin a raibh de. Bhí na scéalta ag dul thart faoi na rudaí a rinne na Seapánaigh i Nanking: slaodmharú, creachadh agus éigniú. Ach mar sin féin ní raibh aon scaoll sa tslua a bhí ag gluaiseacht amach as an chathair. Bhí gach ní ciúin, cé is moite de ghaoth an Fhómhair agus scuabáil na gcuarán.

Ar an seachtú lá is fiche ghabh na Seapánaigh Hankow gan urchar amháin a scaoileadh. Bhí buaite ar na Sínigh, ach bhí siad dea-bhéasach go fóill agus scaoil siad tinte ealaíne. Nuair a chiúnaigh an fuadar chuaigh an t-easpag amach agus d'amharc trasna na habhann i dtreo Hanyang. Ach bhí cnoc Gwai San sa bhealach, agus ní fhaca sé ach cathair Wuchang agus í trí thine. Tamall beag ina dhiaidh sin chuaigh sé féin agus an tAthair Piogóid trasna agus chonaic go raibh Clochar Naomh Colmán agus Clochar Loreto slán go fóill.

Nuair a bhí greim daingean ag na Seapánaigh ar Hankow, dúirt siad nach raibh gá ar bith le Coiste Sábhála, agus d'ordaigh an Captaen Goto, fear de na póilíní airm, go gcuirfí na dídeanaithe amach as na concessions. Dúirt sé go raibh áit faoi leith do na dídeanaithe trí mhíle ó Hankow, mar a bhí Wu Shen Miao. Chaithfeadh siad uile dul go dtí an áit sin, daichead míle duine. Ní raibh an Coiste Sábhála toilteanach tabhairt isteach dó sin ar dtús ach ní raibh aon bhealach as acu. Lá amháin thosaigh an slua mór seo a ghluaiseacht i dtreo Wu Shen Miao. Shiúil an t-easpag leo agus gasúr bocht bacach in airde ar a leathanghuaillí aige.

Ba de na seicteanna Protastúnacha a bhí ag obair thart ar Hanyang taoisigh an champa nua. Daoine maithe a bhí iontu, ach ní raibh siad cleachta lena leithéid seo de thubaiste. Níorbh fhada go raibh siad thar a bhforas. Lá amháin, agus cruinniú ar siúl, bhí an t-easpag ina shuí ag bun an tábla ag éisteacht. Faoi deireadh d'éirigh sé ina sheasamh agus thosaigh a labhairt. Ba scéim ollmhór achrannach í seo, dúirt sé, i bhfad i bhfad ó bheith ina picnic Scoile Domhnaigh.

"Tá fir agus mná agamsa a bhí trína leithéid seo go minic cheana féin. Tuigimid go maith cad é tá ag teastáil. Caithfidh sibh bheith réidh chun obair a dhéanamh an lá ar fad, agus an oíche leis. Caithfidh sibh é a ghlacadh mín agus garbh, codladh ar an urlár má bhíonn aon seans agaibh codladh. Caithfidh sibh tosú anois. Le gach nóiméad tá an bás agus na galair ag teacht níos gaire. Tá sibh ag caint faoi scéim neamhphraiticiúil ar fad—ní éireoidh léi."

An lá arna mhárach bhí sé ina bhainisteoir ar an champa. Fear ab ea é nach raibh mórán eolais aige ar mhórchúrsaí airgeadais. Ach bhí bua aige a ba mhiste go mór ná sin sa chás seo, mar a bhí bua an cheannais. Aon áit a raibh tubaiste nó galar, nó tuilte nó gorta, nó na mílte dídeanaithe le riar orthu, ba é sin an áit do " E. G." Chuaigh sé a chónaí i dteach i Misean na Meitidisteach i lár an cheantair, agus ghlaoigh sé ar na sagairt, na siúracha agus na bráithre as Hanyang. Gan mhoill bhí trí chéad duine ag obair faoina cheannas, ag tógáil cistineacha agus ag tabhairt bia do shlua a bhí in aice le 85,000.

Lá amháin chonaic gnóthadóir Breatanach an t-easpag sna cistineacha, a mhuinchille cornta suas aige agus é ag stiúradh an ghnó.

" Tá bua éigin ar leith agaibhse," ar seisean. " Tá sinne chomh hardnósach sin nach féidir linn dul i measc na gcréatúr seo, ach tá sibhse istigh ina gceartlár."

Ar feadh sé mhí b'éigean dóibh fanacht i mbun an champa. Nuair a tháinig siad ar dtús dúradh nach mbeadh siad ann ach cúpla seachtain.

Cuireadh crua ar a bhfoighne. Bhris an calar amach, ach fuarthas an lámh uachtair air in am. Deireadh na sagairt anois is arís: " A Mhonsignor, bhí mé ag smaoineamh . . . ." agus bhriseadh an t-easpag isteach air agus a dhá láimh in airde: " Cén mhaith a bheith ag smaoineamh ? Féach, cuir Naomh Pádraig romhat agus Naomh Colmán ar do chúl, cuir síos do cheann agus ar aghaidh leat ! " Bheadh lagar spride ar shagart eile agus é ag iarraidh sóláis. An lámh in airde arís agus na focail chineálta: " Féach, a athair, tá an obair seo chomh garbh is chomh salach le Calvaire ! Sna pictiúir bheannaithe bíonn ár dTiarna gléasta go galánta i gcónaí, éide scuabach lán de dhathanna éagsúla air, gan salachar gan smál, agus slua mór thart air ag éisteacht le gach focal. Ní raibh sé mar sin leath an ama, bíodh geall. Cuid mhór acu nár aithin É ar chor ar bith. Cuid acu a tháinig go fiosrach ar lorg cibé a bhí le fáil uaidh—díreach cosúil leis an tslua seo againne. Ach ba chuma. Níor stad Sé. Agus is é an saol céanna atá ann go fóill. Níl an deisceabal níos fearr ná an Máistir, nach cuimhin leat sin ? Má bhíonn tú ag dúil le níos mó ná a bhí aigesean, níl mórán céille agat." Agus bhíodh loinnir le feiceáil go domhain ina shúile liathghorma.

Bhí siad ag obair sa champa nuair a tháinig an Nollaig, agus bhí cuma fhann thuirseach ar an easpag. Scríobh bean de na siúracha abhaile: " Tá an tseanchasacht ainsealach níos measa ná riamh."

Nuair a d'fhill sé ar Hanyang ba é an chéad obair a bhí le déanamh aige na tithe go léir a ghléas, agus na sean-snáitheanna a tharraingt le chéile arís. Thosaigh teaghlaigh a theacht isteach faoi choinne teagaisc, agus bhí an t-easpag gnóthach gach maidin i gceantar na hardeaglaise ó leath i ndiaidh a seacht go leith i ndiaidh a deich.

Sa bhliain 1939 chuir sé ar bun comhthionól nua de shiúracha Síneacha. Tháinig an scata beag seo le chéile ar dtús i mí Lúnasa, 1931, nuair a bhí na tuilte i Hanyang. Bhí Clochar Naomh Colmán lán go doras le dídeanaithe, agus cuid eile ag iarraidh teacht isteach. Ba mhór an imní a bhí ar an easpag agus scata cailíní óga Caitliceacha ann nach raibh aon áit chodlata acu diomaite de na cnoic loma. Lá Fhéile Muire Mór san Fhómhar tháinig Paula Wu. Ba mhaighdean Shíneach í. Is é sin le rá, bhí sé socraithe aici gan pósadh choíche, cé nach raibh aon mhóid uirthi, ach a beatha uile a thabhairt d'obair na hEaglaise. Bhí aithne ag an easpag uirthi cheana, mar bhíodh sí ag teagasc sa cheantar, agus ar ala na huaire dúirt sé léi: " A Phaula, imigh leat go Teach Naomh Muire agus téigh ina cheannas." Ba é an lá saoire a bhí ann a chuir an t-ainm sin, Naomh Muire, ina cheann.

Níor chuir Paula aon cheist ach chuaigh i gceannas láithreach. Nuair a thosaigh na tuilte a dhul síos, bhí seisear nó seachtar ban óg eile ag obair léi, agus fiú amháin nuair a d'imigh na dídeanaithe as an cheantar d'fhan an scata beag seo le chéile agus d'oscail siad íclann. Sa bhliain 1939 bhí dioplómaí banaltrachta ag cuid acu, agus bhí tuairim ar 27,000 othar sa bhliain ag fáil leighis uathu. Chuaigh a gclú amach ar fud na dúiche. Chomh maith le hobair na híclainne, bhí caiticiúmanacht ar siúl acu a d'fhéadfadh iostas a thabhairt do dhá chéad bean.

Fuarthas cead ón Róimh am éigin roimhe seo, agus an 25ú Márta, 1939, cuireadh ar bun Comhthionól Siúracha an Maighdine Muire i Hanyang. As na trí mhaighdean is fiche a bhí i dTeach Naomh Muire, toghadh cúig chailín déag mar nuasacháin, agus cuireadh tús ar an obair faoi threoir beirte de mhná rialta Loreto. Seacht mí ina dhiaidh sin, ar an 6ú Deireadh Fómhair, glacadh mar nóibhísigh trí dhuine dhéag. Bhí bean amháin ró-thinn chun an fial a ghlacadh agus bhí an bhean eile, Anna Yu, i láthair—í deasaithe in éide bhán agus clúdaithe le bláthanna—ina cónra. Ba í an eitinn a tháinig uirthi agus fuair sí bás an oíche roimhe sin.

Bhí áthas an domhain ar an scata beag cionn is go raibh ball amháin acu ar neamh cheana féin. Dúirt an tEaspag leo: " Ná bígí ag caoineadh cionn is go bhfuil sí marbh, mar tá sise i bhfad níos séanmhaire ná sibhse." I ndiaidh an Aifrinn agus an Te Deum tugadh a corp amach go Din Ja Lin, reilig bheag Chaitliceach Hanyang, agus chan siad an Magnificat le taobh na huaighe.

Go luath sa bhliain 1939 tháinig scéala ón bhaile faoi choláiste nua in aice leis an Uaimh, Co. na Mí. Coisriceadh láithreán tógála an tséipéil agus an chloch choirnéil ar an Domhnach, 18ú Meán Fómhair, 1938. Bhí an tAthair Ó Bláthmhaic ag labhairt ar son a chomhpháirtithe nuair a dúirt sé: " Ba mhaith liom anois mo bhuíochas a thabhairt—más féidir liom—do phobal Caitliceach na hÉireann. La dhá bhliain is fiche anall bhí ormsa déirc a iarraidh ón phobal seo ar son na misean. Uathasan na héidí a chaithimid; uathu an t-arán a ithimid. A gcuid pinginí a las na lampaí atá ag dó os comhair na dtaibearnacal sa tSín, sa Choiré agus i mBurma. Iadsan nach bhfuil mórán de mhaoin an tsaoil seo acu féin, a thóg na scoileanna beaga agus na tithe pobail ar na misin. . . . Iadsan atá ag tógáil an choláiste seo. . . . Dé réir dealraimh níl aon teorainn lena bhflaithiúlacht."

Rinneadh easpag den Dochtúir Ó Cléirigh, Biocáire Aspalda Nancheng, ar an 16ú Aibreán, 1939, agus anois bhí beirt easpag de Chumann Naomh Colmán sa tSín. Ba é an tEaspag Ó Séaghdha a rinne an coisreacan. De réir dlí na hEaglaise, bíonn beirt easpag eile i láthair ar ocáid mar seo; ach bhí saol corrach ann, agus mar sin de, le cead na Róimhe bhí beirt sagart ann in áit na n-easpag, an tAthair Ó Diarmada agus an tAthair Ting. Rinne an tEaspag Ó Gealbháin a sheacht ndícheall pas a fháil tríd na línte Seapánacha, le bheith i láthair ag oirniú a sheanchomrádaí, ach ní raibh neart air. Más fíor a rá go raibh na Seapánaigh cleachtach le constaicí a chur sa bhealach, is fíor fosta go raibh an t-easpag cleachtach le díomá.

I MIOTAL ARÍS

D'IONSAIGH na Seapánaigh cabhlach na Stát Aontaithe i bPearl Harbour, ar an 8ú Nollaig, 1941. D'aon ráib amháin rinne siad a ndícheall an namhaid ba thréine a scriosadh go borb gasta. San am céanna tugadh ordú don arm Seapánach sa tSín an bhailchríoch a chuir ar an obair ionas go dtiocfadh leo dul ar aghaidh san Áise Thoir Theas. Bhí dhá cheann ar an namhaid seo sa tSín, an dragan Síneach—an Kuomintang faoi Generalissimo Chiang Kai Shek, agus na cumannaithe faoi Mao Tse Tung a raibh luach milliúin dollar ar a cheann.

Bhí dhá shagart is daichead ag an Easpag Ó Gealbháin ag an am seo, 34 Éireannach, 5 Mheiriceánach, beirt ón Astráil agus Briotanach amháin. Ba " naimhde " anois na misinéirí neamh-Éireannacha, agus cuireadh scéala chucu teacht láithreach go Shanghai. Níor cuireadh isteach i gcampaí iad mar sin féin, agus tugadh cead dóibh fanacht i dtithe rialta a raibh faire ag na Seapánaigh orthu. Gabhadh seilbh ar mhaoin iomlán na gcomh-ghuaillithe, dúnadh na tithe tráchtála agus na bainc; thóg na póilíní míleata leo gach gléas raidió a bhí sa cheantar, sa chruth gur fágadh na misinéirí i lár na Síne gan aon chóras teachtaireachta acu chun an domhain mhóir. Ós rud é gur rugadh cuid de Shiúr-acha Loreto san Eoraip níor bhac na Seapánaigh leo, cé gur shaor-ánaigh Mheiriceánacha iad.

Bhí a fhios ag an Easpag Ó Gealbháin go ngabhfaí seilbh ar a mhaoin shaolta dá bhfágadh na hÉireannaigh Hanyang. Rud a ba mheasa, d'fhágfaí a phobal gan sagairt. Ach breathnaítear ar na deacrachtaí a bhí ann. Níor thuig na hÉireannaigh Seapáinis, agus ní raibh Béarla ná Sínis ag formhór na Seapánach. Le cuidiú teangaire éigin mhíníodh siad nach raibh Éire i seilbh na Breataine anois. Ach cad chuige a raibh sí dearg ar an léarscáil ? Sea, bhí sí dearg ar na léarscáileanna cionn is gur clóbhuaileadh roimh an Chonradh iad. Bhí Éire i seilbh na Breataine lá den tsaol, ach ní raibh anois. An chuid is mó den am níor thuig na Seapánaigh in aon chor é. Chuir an t-easpag cóip de Bhunreacht na hÉireann chuig an chonsal Seapánach agus, cé go raibh mo dhuine fíor-mhúinte, sin a raibh de. Gabhadh cuid de na sagairt anois is arís, ach ba chuma agóid a dhéanamh ina dtaobh mar, cibe faoi mhúinteacht an chonsail, ní raibh riail ná dlí ar na póilíní míleata. B'é an rud ab fhearr coinneáil as a mbealach ar fad, agus féacháil le fanacht sa dúiche.

D'éirigh leis an easpag ní b'fhaide anonn. Bhí seanchara ceannasach aige a bhí in inmhe dul i mbannaí nár Bhreatanaigh na sagairt agus na siúracha, agus chuaigh an scéal seo chomh fada le Tokyo. Measadh go raibh siad sásta faoi dheireadh, agus cuireadh bratach na hÉireann ar foluain os cionn an mhisin. Dála an scéil, tá an tseanbhratach seo le feiceáil i gColáiste Naomh Colmán in Éirinn anois.

Ach ní raibh gach ní slán go fóill. Bhí na Seapánaigh iontach éadmhar faoi chuid de na foirgnimh a bhí ag na hÉireannaigh. Thug siad faoi deara an teach pobail úr a tógadh tamall beag roimhe sin, Teach Pobail an Chroí Ró-Naofa, a raibh áit do sheacht gcéad ann, agus chonaic siad an ardeaglais a bhí méadaithe faoi dhó ón am a raibh an slua mór ag teacht isteach san Eaglais sa bhliain 1941. Mheas an Ceannfort Seapánach go mbeadh an ardeaglais ar fheabhas faoi choinne cruinnithe poiblí agus ócáidí den chineál sin. Ach ní raibh mórán eolais aige ar an fhear ó Chorcaigh. Dhiúltuigh seisean glan é.

" Ach cuir i gcás go dtiocfaimis agus é a ghlacadh gan cead ar bith," ar seisean le gáire.

" Ní bheidh tancaí de dhíth oraibh, más ea," arsa an t-easpag go tur. " Ach má théann sibh isteach, thar mo chorpsa a rachaidh sibh."

Rinneadh dearmad den ardeaglais.

Chuaigh cuid de na féachadóirí Seapánacha a chónaí i dteach in aice leis an mhisean, agus go minic théidís ó sheomra go seomra tríd an chlochar agus tríd an chlós, agus an t-easpag é féin ar tosach. Lá amháin tháinig siad ar phéire de bhróga ábhalmhóra, rud a chruthaigh, dar leo, go raibh fear éigin i bhfolach san áit. I ndeireadh na dála tháinig siúr Cholmánach amach, faoi aiféala an domhain, agus tar éis di páirt Chailín na Luaithe a ghabháil, chlaon na Seapánaigh a gceann lena chéile agus d'imigh leo. Uair eile bhí iontas mór orthu nuair a chonaic siad deilbh Naomh Iósaf agus bratach na Stát Aontaithe ina lámha aige, ach níor bhac siad leis agus níor cuireadh go Shanghai é !

Ba é an scéal céanna é suas an tír, an argóint faoi na seanléarscáileanna agus uile. Bhí an tAthair Ó hUallacháin agus an tAthair Íomhair Mac Craith thuas in Anlu ar feadh ceithre bliana an chogaidh, gan sagart ar bith eile a fheiceáil le linn na tréimhse sin. Ní fhaca an tAthair Mac Maoláin i Sung Ho aon sagart eile ar feadh cúig mhí dhéag. Bhí teacht agus imeacht, ar dhóigh éigin, in áiteanna eile, ach ba bheag i gceart é, agus is fíor a rá nach raibh siúl ar bith faoi shaol na misinéirí. Bhí cuma aisteach lom fholamh ar an Yangtse agus ar an Han, gan na mílte seol agus crann, agus ba bhocht i gceart cúrsaí gnó. Bhí earraí iontach daor agus an t-airgead gann.

Le linn na mblianta 1944 agus 1945, bhí aer-ruathair á ndéanamh ar na trí chathair beagnach gach oíche agus lá. Fuair Hankow an chuid ba throime den bhuamáil, ach fuair Hanyang a sháith féin chomh maith. Le linn na ruathar seo thagadh na daoine go dtí an ardeaglais agus d'fhanaidís ansin ar crith sna suíocháin. Anois is arís théadh an t-easpag agus na daoine eile amach go dtí na páirceanna ar eagla go mbeadh iol-loscadh ann. Taobh amuigh de dhuine amháin nó beirt a d'fhan i ngach clochar le súil a choinneáil ar an áit, chuaigh na siúracha eile go huile go dtí cliarscoil a bhí corradh le tríocha míle isteach sa tír nuair a d'éirigh na ruathair róscáfar. Rinne an t-easpag agus a chairde dídean, nó leithscéal de dhídean, i gceantar an chlóis. Poll mór sa talamh, a bhí ann, é clúdaithe le cré agus adhmad. Ní raibh sé ach go lagmheasartha, ach mar sin féin chaith siad cúig nó sé de sheisiúin sa lá ann ó am go ham, iad cuachta istigh sa dorchacht ag fanacht agus ag guí.

Oíche amháin i Meitheamh, 1944, buamáladh Hanyang go fíochmhar agus rinneadh a lán damáiste sa cheantar in aice leis an ardeaglais. Thit buamaí cúig chéad punt taobh amuigh de bhalla an chlóis, agus maraíodh cuid mhór. Briseadh gach fuinneog i dteach an easpaig, ach damáiste dá laghad ní dhearnadh don ardeaglais. Dúirt eitleoirí Meiriceánacha leis an easpag tamall ina dhiaidh seo gur dhóiche go bhfaca an píolóta an chrois Cheilteach ar barr agus gurbh é sin an fáth, b'fhéidir, nár scoil sé a chuid buamaí.

Ar an taobh eile den abhainn níor éirigh chomh maith leo, agus maraíodh an tEaspag Massi, seanchara cléibh an Easpaig Uí Ghealbháin. Giota srapnail a chuaigh ina chroí. Ghoill an bás

Na hAithreacha ARALT Ó TUAIRISC, SEÁN Ó CUINNEAGÁIN,
SEÁN MAC CON MARA, CATHAL Ó BRIAIN agus CHANG
An tEaspag Ó GEALBHÁIN agus an tArdeaspag RIBERI
Fóta: 1947

seo go mór ar an Éireannach, mar ba chomhairleoir dó i gcónaí an t-easpag thall. Bhí daichead bliain curtha isteach ag an tsean-fhear sa tSín, agus anois d'éiligh an tSín a bheatha mar a d'éiligh sí a lán lán eile. Tamall beag roimhe seo bhí an tEaspag Ó Gealbháin ag caint leis agus bhí iontas air nuair a thug sé faoi deara chomh buartha i gcosúlacht is a bhí an seanfhear.

" Cad é tá ag cur buartha ort ? " ar seisean. " Féacn ar an obair fhiúntach atá déanta agat ó tháinig tú go dtí an tír seo."

" Ní hea, a Mhonsignor. Níl dada déanta agam. Tá mo lámha folamh. Níl mé ag dúil le rud ar bith anois ach áit bheag ar neamh, trí thrócaire Dé."

Nuair a chuaigh an Gealbhánach anonn chun na sochraide chonaic sé an ardeaglais agus teach an easpaig ina gconamar. Tógadh an chónra go dtí an chliarscoil in aice leis an chathair. Bhí scata mór i láthair, agus léigh sé Aifreann ar altóir bheag shealadach a bhí sa véaránda. I rith an Aifrinn smaoinigh sé ar an lá grianmhar úd sa bhliain 1927, nuair a bhí an fear seo i mbláth a mhaitheasa, an lá a chuidigh sé é a choisreacan. " Cibé rud is liomsa is leatsa é, mar is deartháireacha i gCríost sinn," a dúirt sé. Agus d'fhreagair an dealagáidí in ard a chinn: " Bravo Monsignor Massi ! Bravo ! Bravissimo ! " agus rinne siad go huile bualadh bos agus gárthaíl. Ach ní raibh aon ghárthaíl anois ann; a dhath ar bith ach sneachta na Nollag ag titim ar éide an Aifrinn agus, le linn na haspalóide, ar an chónra Shíneach.

San aer-ruathar seo a chuir deireadh le beatha mhiseanach an Easpaig Massi, scriosadh Institiúid Canossa os comhair na hard-eaglaise, áit a raibh Siúracha Iodáileacha na Trócaire ag tabhairt aire do na breoiteacháin le hochtó bliain. Maraíodh ceathrar siúracha agus ochtar banaltraí le linn na buamála. Ba é an tEaspag Ó Gealbháin a léigh an tAifreann ag an tsochraid, agus is furasta méid a bhróin a mheas óna fhocail féin:

" Ba radharc fíorbhrónach na ceithre chónra sin. Díreach roimh an adhlacadh, d'iarr na siúracha iad a oscailt go bhfaigheadh siad an t-amharc deireanach ar a gcomrádaithe dílse. Níor chuala mé riamh i mo shaol caoineadh chomh coscrach léanmhar. Ach níor shil an Mháthair Uachtaráin deoir. Bhí na doirne dúnta go teann aici, agus bhí an fhulaingt scríofa go soiléir ar a haghaidh agus í ag amharc ar na corpáin bhriste sin. Ar gach taobh di bhí a cuid oibre ina smionagar, deireadh lena saol féin agus le saol na hInstitúite, tar éis ochtó bliain. Ach níor loic a creideamh uirthi. Shín sí amach a lámha agus dúirt: ‘ Ná bígí ag gol. Is é toil Dé é. Cén fáth go mbeadh amhras orainn ? ’ Nuair a d'amharc mé uirthi, smaoin mé ar Mháthair ár dTiarna ar chnoc Chalvaire. Ní féidir liom cur síos a dhéanamh ar ollásacht na heachtra.”

Nuair a dódh teach na nAgaistíneach i Hankow, tháinig siadsan go Hanyang agus bhain fúthu i gcuideachta na gColmánach.

Bhí an ráfla ag dul thart go scriosfaí Wuhan ar fad agus scaoileadh bileoigíní anuas ón aer ag moladh do gach duine teitheadh chun na tuaithe. Chuir an scéala seo scaoll sa phobal, go háirithe i Hankow, agus thosaigh siad a dhul trasna go Hanyang, ag déanamh go mbeadh siad níos sábháilte ansin. Isteach sa chlós leis na dídeanaithe arís. Ba sheanscéal ag an easpag anois é. Bhí trí chéad Caitliceach ó Hankow i gClochar Loreto. Ospidéal ginearálta a bhí i dTeach Naomh Colmán, agus ospidéal máithreachais a bhí i dTeach Naomh Muire. Bhí dochtúir Síneach ag obair i dteach na sagart, agus máinlia i Loreto, agus bhí an t-easpag ag dul thart mar ba ghnách, ag iompar an bháisín bhig. Sa deireadh tháinig caoga mac léinn ó na cliarscoileanna eile i Hupeh agus Hunan, agus d'fhan siadsan fosta leis na hÉireannaigh go dtí go raibh sé sábháilte acu filleadh ar an chliarscoil mheánach i Hankow.

“ Bhíodh bratach na carthanachta ar foluain gan stad againn,” arsa an t-easpag, “ cé go raibh cuid mhaith de dhíth orainn féin.”

Sa bhliain 1945 pléascadh an buama adamhach ar Hiroshima agus tháinig an cogadh mór chun deiridh. Cad é an sórt tíre a bhí sa tSín an t-am sin ? Bhí seacht gceantair mhóra i seilbh Mao Tse Tung, agus chomh maith leis sin bhí a chuid guairillí sna bailte móra agus sna sráidbhailte, agus suas le céad milliún faoina gcumhacht. Dúradh go raibh trí mhilliún san Arm Dearg. Bhí na Stáit Aontaithe ag tabhairt cuidithe do Chiang Kai Shek go fóill, ach bhí an réim sin ag titim as a chéile, agus ar an 3ú Feabhra, 1949, ba iad saighdiúirí Mao a chuaigh isteach i bPeking.

Bhí an tEaspag Ó Gealbháin thar seasca bliain d'aois nuair a tháinig deireadh an chogaidh agus b'uafásach an obair a bhí roimhe. I gcuid mhór áiteanna ar fud na biocáireachta bhí an pobal gan friotháil sagairt le blianta. Fuair an tAthair Ó hUallacháin bás thuas in Anlu an 29ú Lúnasa, 1945, agus cuireadh ansin é. B'fhada an lá ó bhí an t-easpag in inmhe turas a cheantair a dhéanamh, agus rinne sé réidh arís don bhealach aithnidiúil suas na th'ees agus le taobh na habhann. Sé mhí i ndiaidh a chéile a bhíodh sé as baile as seo amach, ag cur aithne ar sheanchairde agus ar chairde nua. Ba mhinic a mhaslaítí anois é, mar bhí spiairí an Airm Dheirg i ngach áit; ach bhí seaneolas aige ar a ndóigheanna agus ní raibh aon eagla air rompu. Ní raibh cuid de na cumann-aithe óga seo ar an tsaol nuair a tháinig sé go Hanyang den chéad uair. Bhí aithne aige ar a n-aithreacha, agus nuair a chonaic sé iad thug sé faoi deara stair na Síne ar na haghaidheanna buí, agus shiúil sé tríothu ag déanamh na hoibre céanna a bhí idir lámha aige na blianta fadó: an múineadh, an baisteadh, na faoistiní, an cóineartú, na póstaí briste, agus íocshláinte an Aifrinn.

Chuireadh na sagairt fáilte an domhain roimhe ar theacht ina measc arís dó, agus is iomaí scéal a bhíodh le hinsint. Labhraíodh siadsan faoi na ceithearnaigh a raibh an tír faoi smacht acu, agus faoi na huaireanta a thagadh glaoch ola. Agus labhraíodh an t-easpag faoi na haer-ruathair i Hanyang; agus as déis a chéile thosaigh siad uile ar stair na mblianta caillte a chur le chéile arís.

Bhíodh cupán den tae Síneach, é fíorlag, aige ar maidin de ghnáth, agus ba leor sin le tús a chur ar obair an lae. Dhéanadh sé cupán caife go luath sa tráthnóna, an chéad bhéile iomlán gach lá. Chuala mé seanlaoch Colmánach ag caint faoin chéad uair a chonaic sé é. Lár an gheimhridh a bhí ann, agus an bheirt acu i dteach Síneach éigin á ní féin. Bhí mias bheag d'uisce fuar ar chathaoir, agus bhí an t-easpag ag stealladh an uisce ar a aghaidh agus ag séideadh, ag iarraidh é féin a théamh. Bhí cuma chaite air agus a chuid éadaigh ina cheirt. Nuair a bhí sé ag dul síos an staighre go seomra an bhia thosaigh sé a chanadh:

Come single belle and beau
And to me pay attention . . . .

Thug sé faoi deara le linn a shiúlta go raibh na comharthaí Críostaí imithe as cuid de na tithe agus na seantáibhléid phágán-acha ar ais arís ar na ballaí. Bhí dhá chúis leis seo. Ar an chéad dul síos fágadh na daoine gan sagairt ná sacraimintí le cúig bliana, agus rud eile, bhí an ráfla ann go mbeadh na Seapánaigh iontach crua ar aon duine a bhí cairdiúil leis an strainséir nuair a bhí na Stáit Aontaithe ag troid ina n-éadán. D'fhan na sean-Chaitlicigh go dílis daingean, an chuid is mó den am, ach ghéill a lán de na daoine eile. Nuair a chuaigh an t-easpag agus na sagairt amach sa bhliain 1946, armtha leis na seanchláir mhiseanacha, chuireadh sé iontas mór orthu go minic a fheiceáil chomh domhain agus a bhí fréamhacha an chreidimh sa tír. I ndiaidh na sé mí sin ag dul thart fuair sé scéala óna mhisinéirí go raibh gach sráidbhaile sa bhiocáireacht ar ais chun creidimh, taobh amuigh de dhá cheann.

Ní raibh aon loingseoireacht neamhúdaraithe ar an Yangtse le linn an chogaidh, ach nuair a osclaíodh é arís thosaigh scéala an domhain mhóir a shú isteach, agus tháinig uachtarán an chumainn amach as Éirinn ar a chéad chuairt ó 1937. Níor éirigh leis an chumann sagairt a chur amach go dtí an tSín ó 1940 go 1946, agus dá thairbhe sin bhí 87 réidh anois.

I mBunreacht Aspalda an 11ú Aibreán, 1946, bhunaigh an Pápa Pius XII cliarlathas sa tSín, ag déanamh deoisí de chéad biocáireacht agus maoracht. Tháinig sin i bhfeidhm i Hanyang an chéad lá d'Aibreán, 1947, nuair a insealbhaíodh an tEaspag Ó Gealbháin mar chéad easpag deoise ar Hanyang. Lá deas grianmhar a bhí ann nuair a tháinig an tArdeaspag Riberi, idirnuinteas an Phápa. Léigh an Gealbhánach admháil phoiblí an chreidimh, thug a mhionn dílseachta don Chathaoir Naofa, agus shuigh ar thaobh na heipistile ar aghaidh na cathaoireach easpagúla. Nuair a bhí an Bunreacht Aspalda léite ag an idirnuinteas tháinig sé a fhad le taoiseach na deoise nua agus threoraigh é go dtí an ríchathaoir. Tháinig a chuid sagart aníos ansin, iad cogadhcholmnach tuirseach, agus chuaigh thart ina nduine is ina nduine, ag pógadh an fháinne chaite, le humlaíocht croí agus intinne.

Uair éigin ina dhiaidh seo chuimhnigh sé ar ghealltanas a bhí tugtha aige go rachadh sé go Kiangsi ar saoire. Ba chuimhin leis an chuairt a thug sé ar an cheantar sin fiche bliain roimhe seo, an t-am a dúirt sé gur thaitin an áit leis agus gur chuir sí Éire i gcuimhne dó. Ní raibh seans ar bith dul go hÉirinn, agus bhí a fhios aige nárbh fhada go mbeadh na Deargaigh ar ais. Chaithfeadh sé bheith i mbarr na sláinte ina choinne sin. Satharn fliuch a bhí ann faoi Bhealtaine, 1947, bigil na Cincíse, nuair a shiúil sé isteach i dteach an mhisin i Nancheng gan aon scéala a chur roimhe. Scríobh sé chucu roimh ré ag rá go raibh sé ag teacht ach nach bhféadfadh sé an dtáta a ainmniú. Bhí na sagairt ag éisteacht faoistiní nuair a shiúil sé isteach, agus ní raibh a fhios ag aon duine de na searbhóntaí gurbh easpag a bhí ann. Labhair a ghiolla leis na searbhóntaí, ach níor thuig siad canúint aisteach

Hupeh. Sa deireadh d'aithin ollamh as an chliarscoil é agus thug leis é go seomra an Easpaig Uí Chléirigh, ag rá go simplí:

"Tá an tEaspag Ó Gealbháin anseo."

Chuaigh an Meitheamh grianmhar sin thart go ró-ghasta. Bhí triúr gaol leis ag obair i Nancheng, an tAthair Ó Luasaigh, an tAthair Buitiméir, agus mac a dheirféar, an tAthair Dónall Ó Mathúna a bhí ina shagart ó 1943. Thagadh na sagairt go léir isteach ó am go ham ón cheantar máguaird, iad ar bior le súil a leagan ar an fhear a bhí ina laoch scéalaíochta sula raibh cuid acu féin ar an tsaol. Bhíodh siad ag caint faoi na misin agus na cruacheisteanna, faoi na tuilte, na ceithearnaigh agus na haer-ruathair. Labhraíodh na seanfhir faoin tseansaol, faoi Mhá Nuat, agus faoin mhuintir a bhí ar shlua na marbh: an tAthair Ó Tiarnaigh, chéad uachtarán Nancheng, a maraíodh san áit sin, an tAthair Johnny Heneghan, a maraíodh i Manila, agus na seanchairde eile. Ba bhreá ar fad an chócaireacht a rinne na siúracha Colmánacha le linn na tréimhse a chaith sé ina measc, agus i gceann na miosa samhlaíodh dó go raibh sláinte an bhradáin aige. "Táim réidh anois le haghaidh aon rud," dúirt sé. "Is í seo an mhí ba shona dá raibh agam ó tháinig mé go dtí an tSín. Tá a fhios agam anois an áit faoi choinne sosa." Bhí turas sé lá roimhe, ceithre chéad míle thar bhóithre agus aibhneacha, nuair a d'fhág sé slán acu agus d'éirigh an néal deannaigh thaobh thiar den bhus cearnach donn a bhí á thabhairt i gcionn an aistir abhaile."

IM' SHIÚLTAIBH ARÍS

FAOI Shamhain, 1947, bhí an tEaspag Ó Gealbháin san aird ó thuaidh i Sung Ho. Bhain sé an áit amach ar an Aoine. Mar gurbh é an Domhnach a bhí chucu lá Fhéile Colmáin, agus go mbeadh an t-easpag cúig bliana seascad d'aois an lá sin, shocraigh na sagairt go mbeadh lá deas pléisiúrtha acu. Deir an tAthair Ó Donnchadha, fear de na sagairt a bhí ann, gur chuma leis an easpag cad é an cineál bia a gheibheadh sé, ach go raibh a fhios ag na sagairt go dtaitníodh gríscín muiceola go mór leis. Ar ócáidí ar leith thug siad faoi dear go dtagadh gliondar ina shúil ach é gríscín muiceola a fheiceáil ar an tábla roimhe. Rinne siad a ndícheall sin a fháil.

Rinne an t-easpag an cóineartú ar an Domhnach, agus ansin chuaigh sé thart ar an pharóiste mar ba ghnách leis. Trí seachtaine a mhair an chuairt. Bhí sé féin agus an tAthair Ó Fionnagáin réidh le filleadh an mhaidin seo, ach thosaigh an sneachta a thitim. I ndiaidh béile an mheán lae shocraigh siad fanacht go cionn tamaill eile, agus luigh siad síos le scíth nóna a dhéanamh. Leis sin tháinig an tAthair Ó Donnchadha isteach le scéala go raibh na deargaigh ag teacht. Bhí seisean amuigh sa tír ag léamh Aifreann sochraide nuair a chuala sé an scéala, agus siúd abhaile ar a rothar leis, an méid a bhí ina chorp. Díreach nuair a bhí sé ag insint don easpag cén treo a shíl sé iad bheith ag teacht, tháinig oifigeach na náisiúnaithe go dtí an doras, agus shiúil sé féin agus an t-easpag suas agus anuas os comhair an tí ag caint go tromchúiseach ar feadh tamaill fhada. Faoi dheireadh tháinig an t-easpag isteach agus dúirt rud nár nuacht d'aon duine acu—go raibh siad san fhaopach. Dúirt sé go rachadh sé féin agus an tAthair Ó Donnchadha ar aghaidh go misean eile.

Sin mar a cuireadh tús ar thuras nócha míle thar thír reoite de shiúl cos, nach ndéanfar dearmad air i scéal Chumann Naomh Colmán. Bhí an tír an-gharbh ar fad agus sneachta agus fuacht mór ann. Ó am go ham bhí siad iontach cóngarach don Arm Dearg. Uair amháin chuir siad an oíche isteach ar bhruach abhann, agus fuair siad amach ar maidin go raibh na deargaigh ar an bhruach thall. Oíche eile réabadh an spéir nuair a pléascadh armlanna na náisiúnaithe. Ach shiúil siad ar aghaidh. Nuair a cheannaigh an tAthair Ó Donnchadha oráiste lá amháin, dúirt an t-easpag: " Cá mhéad a thug tú air ? An bhfuil tú cinnte nach bhfuil sin thar ár n-acmhainn ? " Ní raibh mórán céille don airgead aige riamh, agus is iomaí uair a thagadh sé abhaile i ndiaidh turais éigin agus an t-airgead ina luí sna boscaí ar fad, cé go mbíodh sé ag ísliú i luach ó sheachtain go seachtain.

Lá eile chuaigh siad isteach i gcléirtheach éigin, ach bhí an teach maol bán, taobh amuigh de phióg a bhí sa chistin. " Caithfidh nach bhfuil fear an tí i bhfad ar shiúl nuair atá an phióg seo ann," arsa an t-easpag. Ach bhí sé imithe ceart go leor, mar chualathas an scéala sa cheantar seo freisin go raibh na deargaigh ag teacht. Thug an t-easpag iarraidh glao a dhéanamh ar an ghuthán, agus bhí fear oifig an phoist in ann a rá leis: " Bhí tusa i Sung Ho an Domhnach seo a chuaigh thart.

Shín siad leo arís, ag codladh san oíche ar chochán. Aon oíche a bhíodh leaba le fáil acu deireadh an t-easpag: " Isteach leat, a Jas. Tá tusa níos óige ná mise agus beidh do neart de dhíth ort san am atá le teacht. Beidh mise ceart go leor ar an urlár." Oíche a bhí siad ar tí baint fúthu i dteach le tuismitheoirí duine de na Maighdeana Síneacha, tháinig scéala go raibh an dainséar ag druidim leo agus b'éigean dóibh fanacht i dteach páganach sa tsráidbhaile a bhí sa chomharsanacht.

Sa deireadh bhain an t-easpag Hanyang amach slán. Ní mó ná go raibh bróg ar a chois, agus nuair a chonaic duine de na sagairt a ladhra ag gobadh amach dúirt sé rud éigin faoin staid ina raibh siad. " Coinníonn sin fionnuar iad," arsa an t-easpag, agus tharraing ábhar eile comhrá air láithreach. Ar an bhealach ar fad ó Sung Ho bhí an smaoineamh seo ina cheann, go gcaithfeadh na sagairt a bhí ag riar dá bpobail an fód a sheasamh go dtí an Nollaig.

" Bígí cúramach," a deireadh sé. " Fanaigí áit éigin a mbeidh sibh sábháilte ach bígí cinnte go mbeidh sibh ar fáil don phobal ag an Nollaig."

I Meitheamh, 1948, bhí an Cairdinéal Spellman sa Domhan Thoir ag dul thart ar na réigiúin Chaitliceacha, agus d'athraigh sé a sceideal le cuairt a thabhairt ar Hankow. Ba í seo an chéad chuairt ó bhall den Choláiste Naofa go Wuhan, agus chuir na Caitlicigh chun sochair dóibh féin í. Tionlacadh é le bannaí agus le bratacha ón aerfort go dtí Ardeaglais Hankow, na gasóga agus na mílte Caitliceach ina seasamh ar dhá thaobh an bhóthair. B'fhéidir gur mheas na sagairt óga a bhí ann go raibh na " Tríochaidí Glórmhara " ag teacht ar ais, ach bhí a fhios ag easpag Hanyang ina chroí istigh nach dtiocfadh na laethanta sin ar ais a choíche. D'imigh na cuairteoirí clúiteacha, an Cairdinéal, an tEaspag Fulton Sheen agus uile, amach as Wuhan arís agus fágadh an bhaicle bheag ag amharc amach ar an taoide a bhí ar tí líonadh.

Bhí an mhórchuid de thuisceart na Síne faoi chumhacht na gcumannaithe agus, cé nach raibh siad i gcathair Hanyang go fóill, bhí siad i ngach áit ar fud na deoise. I dtosach samhlaíodh go raibh an dream seo cineál liobrálach faoi chúrsaí creidimh, agus bhí scéal ag dul thart nárbh fhada go mbeadh na misinéirí ag dul amach arís. Le teacht na Nollag chuaigh an tAthair Mac Giolla Mhuire agus an tAthair Mac Oireachtaigh amach agus fuair fáilte mhór ó na Caitlicigh, bratacha agus tinte ealaíne agus uile. Níorbh fhada go raibh na sluaite ag teacht chucu, agus thug an t-easpag cead do cheathrar eile dul amach go luath sa bhliain nua. B'iad seo an tAthair Peadar Chang, sagart Síneach, an tAthair Pól Mac Aoidh, an tAthair Ó Coileáin agus an tAthair Ó Donnchadha. Chuir na deargaigh go crua orthu i gceann tamaill, go háirithe ar an Athair Chang, agus b'éigean dósan imeacht ar an 15ú Lúnasa, 1949. D'fhan an tAthair Mac Giolla Mhuire agus an tAthair Mac Oireachtaigh ag a bpobail go dtí Meán Fómhair, agus an tAthair Mac Aoidh agus an tAthair Ó Coileáin go dtí Deireadh Fómhair. D'fhill an tAthair Ó Donnchadha ar Hanyang an 3ú Nollaig, Lá Fhéile Proinsiais Xavier, agus thosaigh siad uile ag feitheamh leis an ghluaiseacht trasna na Yangtse.

Tháinig tuilte na bliana 1931 anoir ó na sléibhte sa Tibeit. Aduaidh a tháinig an tuile seo, agus bhí sí chomh neamhthrócaireach agus chomh cíocrach leis an tseantuile. Sa tseanam bhí an t-arm ina chúis mhagaidh, " a thing of shreds and patches," lena scuaba fiacla agus a scáthanna fearthainne. Níorbh aon chúis mhagaidh an t-arm seo ag máirseáil agus ag gabháil " Máirseáil na nÓglach," agus ba bhródúil an teideal " Arm Fuascailteoirí an Phobail."

Cad é faoin tsaighdiúr nua seo ? Bhí a chuid éadaigh déanta de chotún, ar dhath mustaird, strácaí lorga air, na múrnáin nochta aige agus bróga cotúnacha caolbhonnacha ar a chosa crua. Ar crochadh óna ghuailleán bhí crios scaoilte ina raibh a chuidríse, a chipíní itheacháin agus roinnt uirlisí maisiúcháin. Ar a cheann bhí caipín garbh, ar dhéanamh a bhí coitianta in Éirinn sna fichidí, an píce scaoilte agus réaltóg dhearg agus comhartha buí a chiallaigh Lá Lúnasa greamaithe ina lár. San urgharda d'iompraítí an bhratach dhearg lena réaltóg mhór bhuí. Ní chaití aon chomhartha céime, i gcaoi is gur dheacair fios a bheith agat cérbh é an ginearál agus cérbh é an saighdiúir singil; ach anois is arís chaitheadh na hoifigigh criosanna. Bhí na fir seo ag troid ó tháinig ann dóibh; bhí siad chomh garbh daingean leis na brúideanna. Ón phágánacht go cumannachas an bealach a tháinig siad, agus ní raibh arm Chiang Kai Shek inchurtha leo. Chuaigh Chiang go Formosa, agus ghluais an taoide dhearg, fiche míle ar leithead, ón Yangtse go dtí an fharraige mhór. Dúradh go raibh trí mhilliún déag de líon slua ann.

Ar an 31ú Deireadh Fómhair, 1949, d'fhógair Mao Tse Tung Poblacht an Phobail Shínigh, os comhair trí chéad míle duine a bhí plódaithe isteach i gCearnóg Tien An Men i bPeking. Nuair a bhí an bhratach dhearg ar foluain aige, scread sé amach in ard a chinn: " Anois, a fhrithghníomhacha anseo nó thar lear, fainicí ! " Réabadh an chearnóg le tinte ealaíne agus le gárthaíl. Bhí an dísle caite anois. B'fhada ag smaoineamh ar an ócáid seo é; d'imreodh sé an cluiche seo le gliocas dúchasach a shinsir.

Ba é an chéad rud a rinne sé talamh a thabhairt do na tuathánaigh. Ghlac siad go cíocrach leis an scéim, mar níor tharla a leithéid seo riamh cheana agus ní raibh a fhios acu cá fhad a mhairfeadh sé. Níorbh fhada a fágadh i mbun a gcuid talaimh iad, ar ndóigh, mar ní raibh ann ach tús ar shórt aonseilbhe a bheadh níos measa ná rinne an tSóvéid féin sa Rúis. Bhí tús curtha aige anois ar líonadh an bhabhla ríse, agus thosaigh sé a smaoineamh ar na seolta folmha sna monarchana. Dúirt sé go ligfeadh sé do na " capitlithe náisiúnacha " na monarchana agus na muilte a oibriú ar a choinníollacha féin. Ní raibh a mhalairt de rogha acu, agus thosaigh na rothaí a chasadh go fadálach arís. Bhuanaigh sé cúrsaí airgid don chéad uair le fada, agus chuir sé deireadh leis na ceithearnaigh—leis na ceithearnaigh neamhoifigiúla ba chóra a rá.

Sna sráidbhailte agus sna cathracha bhí cainteoirí ag dul thart ag eagrú ranganna agus cruinnithe, ionas go mbeadh eolas ag gach duine ar an " Daonlathas Nua."

Le súil a choinneáil ar gach duine sa tír, tháinig a lán rialacha amach a chuir deireadh le saoirse. Sa scéim, Tsa Hu Kow, a chuir siad ar bun, bhí liosta le coinneáil de gach líon tí. Thagadh na póilíní isteach i dteach agus d'iarradh siad an liosta a fheiceáil. Má bhí duine ar bith as láthair ba dó ba mheasa agus ba mheasa fós don duine nár thug isteach tuairisc air. Bhíodh fear eile i gceannas na sráide agus ba mhairg dósan freisin. D'fhág sin go mbíodh na daoine bochta ag cúlchoiméad ar a chéile, go dtarraingíodh earráid amháin na céadta dainséar ar dhaoine. Bhí comhaid an Pháirtí lán de bheathaisnéisí agus de " leithscéalta mar gheall ar choireanna in éadán an phobail."

Dé réir cosúlachta bhí saoirse creidimh ann i dtús ama. Mheas Mao gur rud strainséartha ar fad sa tSín an Chríostaíocht. Sa bhliain 1949 ba mhaith leis í a mhúchadh, ach chuir a chara liath, Liu Shao Chi, i bhfeidhm air go raibh dóigh eile ann. Faoi Mheitheamh, 1950, mhol Chou En Lai do na Protastúnaigh roinnt coinníollacha ar ghlac siad leo.

" Is mór an trua gur labhair an Eaglais seo agaibhse chomh tréan sin in éadán na gcumannaithe," arsa bean Phrotastúnach leis an easpag lá amháin. D'fhan sé go raibh sí as éisteacht, agus dúirt go gáireach le sagart a bhí leis:

" B'fhéidir gur fíor di ! "

Ach cibé barúil a bhí ag Mao de na Protastúnaigh, bhí sé cinnte nach raibh aon mhaith sna Caitlicigh. Drochdhrong ar fad a bhí iontu faoi cheannas strainséara sa Róimh, duine a bhí go crua in éadán na gcumannaithe, agus a raibh Gearmánaigh agus Iodáiligh mar ionadaithe aige sa tSín, an dá dhream a bhí mór leis na Seapánaigh le linn an chogaidh. Sa bhliain 1950 thionscain sé plean a chuirfeadh deireadh leo go léir.

Tá a lán foghlamtha ag naimhde na hEaglaise ón uair a bhí Cromail in Éirinn. Níor mhaith leis na cumannaithe mairtírigh a dhéanamh, mar a rinneadh fadó, agus shocraigh siad ar sheanchleas na n-impiriúlaithe: " Divide et impera." Chuir siad ar bun " an Eaglais Chaitliceach Thírghrách " le trí " féin "-rialacha: féintacaíocht, féinchraobhscaoileadh agus féinrialtas. B'ionann féinrialtas agus neamhspleáchas ar an Róimh agus, mar sin de, bhí a fhios ag gach Caitliceach oilte nárbh fhéidir glacadh leis.

Cuireadh leabhair faoin chumannachas ar chlár na scoileanna agus tógadh an bhratach dhearg os comhair na scoláirí gach lá. Maidin amháin dhiúltaigh cailín cróga as scoil mheánach Loreto i Hanyang an bhratach a chur le crann, agus dúirt leis na saighdiúirí: " Tá sí ró-throm le fuil." Tugadh orduithe do na múinteoirí Caitliceacha dul ar stailc le haghaidh méadú tuarastail. B'éigean miontuairiscí an mhisin a thabhairt do na deargaigh, ar eagla go ndíolfaí rud éigin chun airgead agus bia a fháil. Bhí siad á sáinniú de réir a chéile.

B'iomaí socrú agus comhairle a bhí ar an Easpag Ó Gealbháin a dhéanamh ón chéad uair a chonaic sé tír na Síne, ach ba é an socrú ba chruaí air den iomlán insint do na siúracha Síneacha go raibh siad saor óna móideanna. Chomh maith leis na sagairt, d'fhulaing siad cuid mhór ó na ceisteanna agus na croscheisteanna, ach bhí a fhios ag an easpag go raibh na mná Síneacha seo i gcruachás ar leith. Bhí cion mór aige orthu ón tseanaimsir, agus sheas siad an fód leis in aghaidh an domhain. " Dá mbeadh an seans agam teacht ar an tsaol athuair," ar seisean lá, " thiocfainn ar ais mar anam duine de na siúracha beaga Síneacha seo." Tháinig an uair faoi dheireadh nach raibh aon ní le déanamh ach iarraidh orthu scor. Bhí áiteanna anseo is ansiúd i measc na dúiche ina mbeadh siad slán go leor b'fhéidir—i gcónaí, b'fhéidir. Ina mbeirteanna is ina mbeirteanna d'imigh siad faoi éide thuata. Uair amháin b'éigean do bheirt acu filleadh ar Hanyang arís. Chuaigh siad ar a nglúine os comhair an easpaig agus d'iarr a bheannacht. Cad é a dhéanfadh siad anois ? Ní raibh a fhios aige. Tháinig na deora leis agus dúirt sé leo:

" Níl rud ar bith againn. Níl gunnaí againn, ná buamaí ná a dhath. Níl againn ach Íosa, Mac Dé, ar an Chrois."

Díbríodh a shagairt amach as na paróistí i lár na dúiche, agus thug sé cead dóibh víosaí a iarraidh. Bhí easpa sagart in áiteanna eile, sa tSeapáin, sa Chóiré, sna hOileáin Fhilipíneacha, agus cé aige a raibh a fhios nach mbeadh siad ar ais lá éigin ? Bhí na deargaigh ag teannadh isteach go dlúth leo anois. Dúirt siad leis an easpag go bhféadfadh sé fanacht " i gceannas " ar Mheánscoil Loreto, ach bhí a fhios aige go mbeadh Cumann Naomh Colmán ag tabhairt fóirdheontais do na cumannaithe mar sin. Bhí cead aige freisin fanacht i gceannas ar ospidéal Shiúracha Naomh

Colmán, ar choinníoll go ndéanfadh sé clinic cumannach de agus go n-íocfadh sé féin na tuarastail. Ach ní faoina choinne seo a tugadh pinginí na bhfíréan, agus d'iarr Siúracha Loreto agus Siúracha Naomh Colmán víosaí, agus glacadh seilbh ar a gcuid foirgneamh. Nuair a dúnadh an procure i Hankow chuaigh an t-easpag agus an tAthair Mac Gearailt, Corcaíoch eile, síos go dtí an ché leis na himircigh.

" Is olc an scéal é, a Dan, gach uile rud dá bhfuil agat a chailleadh," ar seisean go gruama.

Níor dhúirt a chompánach dada, agus thost an t-easpag tamall maith:

" Is olc an scéal é, a Dan."

" Caithfidh sibh taobhú le Dia nó na cumannaithe," dúirt sé leis na sagairt a bhí fágtha i Hanyang. " Níl maith ar bith géilleadh don rud a iarrfaidh siad inniu, mar beidh siad ar ais i mbárach agus coinníollacha eile leo. Ach tá rud amháin cinnte. Ní féidir linne taobhú le haon ní atá in éadán an chreidimh nó na hEaglaise. Chead acu a rogha rud a dhéanamh linn."

Bhí an lámh uachtair ag na cumannaithe ar na seicteanna Protastúnacha, agus chruinnigh siad a neart roimh an ionsaí deireanach. Ní raibh ag éirí le scéim na hEaglaise Caitlicí Náisiúnta ar chor ar bith i Hanyang, agus taobh amuigh d'fhíorbheagán d'fhan an pobal dílis. Cuireadh teach an easpaig faoi ghlas agus coinníodh súil ghéar ar gach aon duine a tháinig in aice leis.

Ba ghnách leis an easpag Aifreann a léamh gach maidin ar a hocht a chlog, agus a chuid urnaithe a rá i prie-dieu in aice leis an altóir. Go minic agus é ag léamh an Aifrinn, mhothaíodh sé boladh toitíní i dteach an phobail. Nuair a d'iompaíodh sé thart le Dominus Vobiscum a rá, d'fheiceadh sé na gardaí ag siúl aníos is síos an pasáiste, ag amharc thar ghualainn na bhfíréan sna suíocháin go bhfeicidís cad é bhí siad a léamh.

Chónaigh sé féin agus a rúnaí, an tAthair Ó Briain, i dteach beag ar chúl na hardeaglaise, agus chaith siad a mbéilí le tréadaí an pharóiste. Bhí an teach chomh beag sin nach raibh proinnseomra nó seomra aíochta ann, ach ba bhábhún é in éadán na taoide mire a bhí ag bualadh ar na ballaí. Bhí na gardaí istigh acu gach lá beagnach, ag argóint agus ag ceistiú. Lá amháin bhí siad chomh míbhéasach sin go raibh na sagairt ar deargbhuile go dtí gur shiúil an dá bhrúid amach an doras.

" Nach iontach an rud é," arsa sagart amháin, " go mbeadh orainne tarrtháil a thabhairt ar dhuine acu sin dá dtiteadh sé le stróc ! "

Chuir an t-easpag a lámh in airde, mar ba ghnách leis, agus dúirt go gealgháireach:

" Nach crua an creideamh atá againn ! "

B'fhéidir go dtiocfadh sagart éigin isteach agus cruacheist ag déanamh buartha dó.

" Fan," a deireadh an t-easpag. " Ná habair go fóill é. Bíodh deoch agat. Gloine dheas d'uisce te. Ar inis mé duit riamh faoin chéad uair a chuaigh mé féin agus mo mháthair go Droichead na Bandan le pónaí is trap ? Fágadh mise ina mbun, tá a fhios agat, agus thosaigh mé a tharraingt ar na srianta go ndeachaigh an seanphónaí síos an tsráid ar lorg a chúil. . . ." Bhí an seanchleas go fóill aige, an dealán agus an ceathán a chur le chéile, ag cur feabhais ar an chroí a bhí ar tí réabtha. " Ní ceart d'aon duine anseo bheith ar lorg na mairtíreachta. Níl le déanamh againn ach é a chur thar chumas na gcumannaithe ár mbogadh. Dá fhad a fhanfaimid anseo, is amhlaidh is fearr do na Caitlicigh anseo é san am atá le teacht. Is iad seo laethanta an léin. Laethanta an léin ! Cén fáth nach bhfuilimid go léir ar mire ? Leoga, tá ár sáith ceisteanna againn gan trácht ar an cheann sin. Thóg siad ár gcraolacháin, agus níl páipéir nuaíochta againn, ach tá an chaint againn go fóill. Mar a deireadh an tAthair Mac Conrubha i mBrooklyn fadó: ' Sílim go gcuirfidh mé thart an hata, mar gheall ar—." An bhfuil an ceann seo ag aon duine agaibh ?

The dusky night rides down the sky
  And ushers in the morn,
The hounds all join in glorious cry
  The huntsman winds his horn.

Agus chanadh siad go léir an curfá, mar ba amhrán é a raibh sé an-tugtha dó,

A hunting we will go
  A hunting we will go . . . .

" Ní leagfaidh sibh cos in aon áit nach bhfuil lorg A choise féin ann cheana. Ní féidir le cumhacht ar bith ar domhan sinn a fhuascailt ón droch-ánáil seo. Anáil an Ainspioraid féin—is é sin an rud atá sa chumannachas. Mholfainn daoibh Lúireach Phádraig a rá go minic. Is iomaí uair a bhí seisean i gcruachás freisin:

Críost liom
Críost romham
Críost i mo dhiaidh
Críost ionam
Críost fúm
Críost os mo chionn
Críost ar mo láimh dheas
Críost ar mo láimh chlé . . .

Ní théadh sé a luí roimh an mheán oíche de ghnáth, agus ba mhaith leis an t-am a mheilt le hobair oifige, ag léamh nó ag déanamh staidéir ar an tSínis. Bhí sórt teoirice aige gur cheart do gach misinéir uair amháin léitheoireachta a dhéanamh sa lá, agus cé nach raibh mórán eile de shó an tsaoil seo aige bhí lampa maith léitheoireachta aige ina sheomra. I rith an gheimhridh bhíodh a cheann crom síos ar na leabhair: stair, beathaisnéisí, eolaíocht, agus go háirithe réalteolaíocht ina raibh spéis ar leith aige.

Lá Nollag, 1951, bhí cruinniú speisialta ag na deargaigh le fuath ina éadán a mhúscailt i measc an phobail. Tháinig na gardaí agus chuardaigh siad an áit ó bhun go barr. Nuair a d'imigh siad d'amharc na sagairt eile go gruama ar a chéile, agus dúirt sé leo: " Níorbh fhéidir leo gan ár mbodhrú Lá Nollag féin." Bhí sos ann ar feadh nóiméid, agus ansin thosaigh sé:

When we go to heaven, the whole jolly gang,
St. Peter will know that we come from Hanyang.
He'll say: " Step inside boys, the best is your due."
O, bedad and I'll say " I don't mind if I do."

Agus ansin an dreas aithrise ar dhaoine a raibh aithne aige orthu san am fadó, aithris gan ghoimh a chuireadh gach duine ag gáire: scéalta faoi Dan Ó Mainchín i Má Nuat, agus faoin Mhonsignor Mac Conrubha; agus faoi Johnny Ó hEighneacháin ag baint lán a dhoirn den fhéar ó uaigh a dheirféar agus ag rá: " Ar aghaidh linn, a Ned, tá ár ndóthain feicthe anseo againn."

AN DÚNBHAILE ARÍS

BA é an tAthair Seán Mac Conmara biocáire ginearálta Hanyang agus giolla gualann an easpaig faoi seo. Bhí sé ar saoire in Éirinn nuair a d'iarr an t-easpag air dul ar ais chun a bheith lena thaobh sa trioblóid a bhí ag teacht. Cuireadh i gcúram an phrocure i Hankow é san earrach, 1949; ach go luath i 1950 d'iarr an t-easpag arís air teacht go Hanyang. Ón am sin go dtí mí na Samhna, 1951, nuair a díbríodh as an tSín é, d'fhan sé le taobh an easpaig sa bhearna bhaoil.

Ní raibh ach triúr anois sa teach i Hanyang: an tAthair Mac Crosáin, an tAthair Mac Aoidh agus an t-easpag. I mí Lúnasa, 1952, mhol an Rialtas gluaiseacht nua darbh ainm " I gcoinne an Impiriúlachais, Tírghrá chun cinn," a bhunú i bParóiste Naomh Muire. Bhí beirt Chaitliceach séantach i mbun na hoibre seo, Chang agus Chen, agus d'eagraigh siad coiste: ochtar a bhíodh " cairdiúil " leis na misinéirí. Fuair bean amháin cuireadh ar an choiste seo ar shéala gurbh é an tírghrá a bhí mar chuspóir aige, nach aon rud eile. Nuair a thuig sí cad é mar bhí an scéal dáiríre, cháin sí an bheirt séantóirí agus dúirt nach nglacfadh sí aon pháirt leo.

D'fhág sin go raibh seachtar ar an choiste. Fuair siadsan seachtain chrua oiliúna i gceantar Naomh Muire, ionas go mbeadh siad in ann an drochobair a dhéanamh go maith. Osclaíodh áiteanna éagsúla " oiliúna " i Hanyang, ceann amháin san ardeaglais féin, agus tugadh ordú do na Caitlicigh teacht. Rinneadh dícheall le droch-cháil a chur ar an Eaglais i Hanyang, agus go háirithe ar an easpag. Ba chara don Impiriúlachas an Eaglais. Ba spiairí don Impiriúlachas na sagairt, na siúracha, agus an t-easpag. Ba thréatúirí na sagairt Shíneacha agus na siúracha Síneacha. Bhí siad éadairiseach, gan tírghrá—agus ba chairde don Impiriúlachas iad !

Ón 15ú Lúnasa go dtí an 11ú Meán Fómhair thug Chang agus Chen agus a gcairde na céadta cuairt ar Chaitlicigh Hanyang, ach níor éirigh leo in aon chor. D'fhan an pobal dílis. Chuir siad spiairí ag doras na hardeaglaise, ach rinne na daoine an tAifreann a fhreastal ann dá ainneoin sin, agus i dteach pobail Naomh Muire chomh maith, agus d'iarr siad faoistin agus Comaoineach Naofa mar ba ghnách.

" Kao Er Wen* a cháineadh an ea ? " arsa seanbhean amháin leo, lá. " Ní dhéanfaidh mé choíche é. An dtabharfaidh sibh airgead nó rís dom má fhreastalaím ar bhur ranganna ? Ní thabharfaidh, maise ! Má bhím ar an anás, is cuma libhse. Is cuma liomsa faoi Chiang nó Mao. Nuair a tháinig na Seapánaigh anseo d'imigh Chiang, agus níor tháinig Mao. Ach d'fhan Kao Er Wen agus a shagairt ! Iad a cháineadh an ea ? Amach as seo libh, a chladhairí gan sinsearacht." Ba taibhsiúla focail na seanmhná sa tSínis. . . .

Socraíodh go mbeadh Cruinniú Ginearálta Cúisimh ann ar an 10ú Meán Fómhair, ar a dó a chlog tráthnóna, sa mheánscoil taobh thiar de theach an easpaig. I ndiaidh an tsuipéir, an oíche roimh ré, chuaigh Chang agus Chen thart ar na tithe Caitliceacha, ag cur a n-oibleagáide i gcuimhne don phobal, agus an chinniúint a bhí i ndán dóibh mura mbeadh siad ar an tionól. Bhí a fhios ag gach duine nach raibh ach smaoineamh amháin ag an bheirt acu, an eaglais a mhilleadh—an eaglais nach ndearna aon rud orthu riamh. Nuair a bhain Chang an baile amach tháinig tinneas tobann éigin air, agus bhí air dul a luí. Bhí an oiread sin fiabhrais air gur tugadh é go dtí an t-ospidéal, an áit a bhí faoi chúram na Siúracha Colmánacha fadó agus a bhí anois ag na deargaigh. Fágadh ansin é gan aithne gan urlabhra go raibh a theas fola idir 106° agus 107°. Ní raibh dochtúir ar bith ann ag an am, agus ní bhfuair sé freastal ar bith, ach é ina luí mar bheadh cnap luaidhe ann. " Bhí a bhean chéile ina séantoir," scríobh an t-easpag níos maille, " agus gach uaill aisti mar ligfeadh mac tíre as." D'fhan sé ansin idir bás is beatha an oíche go léir agus an lá arna mhárach, gur thráigh an teocht go 105°, agus tugadh go hospidéal i Hankow é.

Chuaigh an scéal seo thart ar shráideanna Hanyang mar a bheadh gaoth Mhárta ann, agus bhí ardmheanma ar phágánaigh agus ar Chaitlicigh araon. Dúirt na págánaigh lena chéile nach raibh an t-ádh ag rith leis an fhear a chuaigh in éadán na hEaglaise. agus samhlaíodh do na Caitlicigh go raibh Dia féin ag síneadh

---

* Ainm Síneach a bhí ar an Easpag.

An tEaspag Ó Gealbháin sa Lárionad Caitliceach i Hong Kong tar éis a dhíbeartha as an tSín. In éineacht leis tá an tSiúr Máire Acuínas (ar clé) agus an tSiúr Máire Gaibriél, Siúracha Cholmáin agus dochtúirí ar fhoireann Shanatóir Ruttonjee, Hong Kong. Fóta: Meán Fómhair, 1952

amach a láimhe chun a thréad a shábháil. Rith siad ó theach go go teach ag rá: " Tá Dia ag cuidiú linn. Ná bíodh eagla orainn. Feiceann Seisean Chang."

Ach bhí Chen ann go fóill, agus é i mbarr na sláinte. Cuireadh an cruinniú ar gcúl go dtí an t-aonú lá déag, agus an mhaidin sin tháinig scroblach ilchineálach isteach i gclós na hardeaglaise, gach scread astu agus iad ag péinteáil rosc catha ar na ballaí.

" T'ung men hsic huei ! " (Síos leis an impiriúlachas.)

" Sha yang jen ! " (Bás don choimhthíoch.)

" Wan suei ! " (An réabhlóid chun bua.)

Ó na haithreacha a chuala an t-easpag na roisc chatha sin. D'fhan sé féin agus a chompánaigh istigh agus thug cluas chomh bodhar is a b'fhéidir leo don rabhadh. Ar leath i ndiaidh a haon chualathas bualadh droma agus ciombal, agus nocht an Chu Chang faoi raon radhairc, seisear nó seachtar dá chuid oifigeach in éineacht leis. Díreach ina dhiaidh sin tháinig slua mór, seasca nó seachtó as Wuchang, an oiread céanna as Hankow, agus corradh le céad as Hanyang. Págánaigh a bhí ina mbunús, ach bhí drong de dhroch-Chaitlicigh leo, agus ní le grá don ócáid é, ach le grá don airgead a fuair siad ($20,000 an duine agus gealltanas ar dheich mbabhlaríse).

Níor cuireadh aon choir nua i leith an easpaig ach " go raibh sé bródúil agus gur bhuail sé bos san aghaidh ar dhuine a bhí ag pógadh a fháinne. Faoi dheireadh ba " duine mídheas " é agus ba cheart é a dhíbirt as an tír taobh istigh de thrí lá. Tugadh amach an rís agus cuireadh deireadh leis an chruinniú. Ach d'fhan an Chu Chang agus d'ordaigh do Chen teacht ina láthair. Dúirt sé nach raibh aon chiall leis na coireanna a cuireadh i leith an easpaig, agus nár leor iad le duine ar bith a dhíbirt as an tSín, go háirithe easpag. Is deacair imeachtaí na Síne nua a thuiscint, ach is dóiche go raibh ar Chen anois a oineach a theasargan, agus d'iarr sé deich lá cairde le coireanna eile a fháil.

Idir an dá linn ghlac an Rialtas féin páirt san imirt. Ar a seacht a chlog ar maidin, an 15ú Meán Fómhair, nuair a bhí an t-easpag ag ullmhú don Aifreann, tháinig póilín go doras an tsacraistí le doiciméad a d'ordaigh dó bheith ag ardoifig na bpóilíní i Hankow ar a naoi. Nuair a d'iarr sé cead Aifreann a léamh, diúltaíodh é. D'imigh sé i gcuideachta an phóilín amach as Hanyang gan bricfeasta. Díreach ar a naoi a chlog treoraíodh isteach i láthair thaoiseach na bpóilíní agus a chairde é. Léigh an duine ceannasach seo an doiciméad a bhí roimhe:

" Iarradh ort teacht anseo lena chur in iúl duit go bhfuil sé socair ag Rialtas na Síne thú a dhíbirt as an tír agus go bhfuil ort Wuhan a fhágáil i gcionn trí lá. Seo iad na coireanna atá i do leith: Bhí tú in éadán Eaglais Neamhspleách a bhunú sa tSín. Chuir tú Léigiún Mhuire ar obair, cumann frithghníomhach. Bhí tú ag déanamh bolscaireachta in éadan an Rialtais. Scrios tú maoin phoiblí. Le linn na dtrí lá atá Rialtas na Síne a thabhairt duit le himeacht ní thabharfaidh tú cainteanna gríosaithe d'aon duine, déanfaidh tú go beacht de réir orduithe an Rialtais, a chuirfear in iúl duit ó am go ham, agus ní chuirfidh tú ceal i mball maoine ar bith dá bhfuil i do sheomra féin nó i gclós an mhisin."

Chuir an t-easpag ceist air, ach briseadh isteach air go giorraisc:

" Iarradh ort teacht anseo agus éisteacht le breith an Rialtais, gan a ceistiú ná a ciallú."

Tugadh an t-easpag amach go dtí an príomhgheata idir bheirt phóilíní. Bhí cúigear eile ag an gheata agus chuaigh an bhaicle bheag síos an tsráid in eagar míleata. Bhain siad Hanyang amach i dtrátha a haon déag ar maidin agus ligeadh don easpag greim beag bricfeasta a ithe—pribhléid mhór, de réir cosúlachta. Bhí sé ina shuí ina chathaoir féin, ach sheas póilín ar gach taobh de, ar eagla go labhródh sé le duine ar bith. Nuair a tháinig an tAthair Mac Crosáin isteach chonaic an t-easpag an comhartha ceiste ina shúil, agus dúirt sé i gcogar: " Expulsus; tres dies " (Díbrithe; trí lá).

I ndiaidh an bhricfeasta tugadh go dtí a sheomra féin é agus cuardaíodh an áit go mion. Cuireadh fairtheoir ag an doras agus ordaíodh don easpag suí síos agus fanacht ina thost. Ní raibh cead aige aon rud a rá, aon cheist a chur; ní raibh cead aige dul amach as an tseomra. " Caithfidh tú seo a thuiscint," arsa an póilín. " Is coirpeach tú atá faoi bhreith dhíbeartha as an tSín. Ní bheidh caidreamh agat le duine ar bith sa chlós seo, nó taobh amuigh ach oiread, agus má bhriseann tú na horduithe sin beidh aiféala ort. An dtuigeann tú sin ? "

Sea, thuig. Thosaigh siad ar a chuid leabhar. Ba léir nach raibh aon Bhéarla ag an bheirt phóilín, ach thóg siad gach leabhar amach ón tseilf agus chuardaigh go mion í. Chuardaigh daoine eile na tarraiceáin ach i gceann uaire go leith ní raibh aon rud faighte acu.

Bhí am lóin ann anois. D'fhág siad beirt phóilín ar garda, agus dúirt go dtabharfaí lón isteach chuig an easpag. Idir an dá linn ní bheadh caidreamh aige leis an Athair Mac Crosáin nó leis an Athair Mac Aoidh, sin nó bheadh daor orthu.

I gceann uaire eile tháinig na cuardaitheoirí ar ais agus chuaigh i gcionn oibre athuair. Chuaigh an t-easpag leo suas go dtí a sheomra leapa agus chonaic iad ag ransú gach ball éadaigh—pócaí, líneáil, agus go háirithe muinchillí.

" Cad é tá i bhfolach faoin philiúr sin ? "

" Tóg é ! "

" Bain an t-éadach den leaba ! "

" Tóg suas an tocht ! "

Ghéill sé dóibh go tuirseach, ach ní bhfuarthas faic anseo ach oiread. Ansin thug siad síos an staighre é agus thug air fanacht ina shuí ar cathaoir ón trí a chlog go dtí a naoi a chlog san oíche. Ní raibh le déanamh aige ach a bheith ag féachaint ar an bhalla os a chomhair, agus a bheith " ag smaoineamh go dian," mar a dúirt sé féin. D'fhan na póilíní ar garda toabh amuigh, agus bhí fear amháin ag an doras i rith an ama, ar eagla go dtiocfadh diabhal éigin d'impriúlaí agus go sciobfadh sé leis " namhaid seo an phobail Shínigh." Ar a seacht a chlog tugadh suipéar dó, agus ar a naoi ordaíodh dó dul a luí.

Oíche fhada a bhí ann. D'éist sé le coiscéimeanna troma na bpóilíní ar urlár an tseomra in aice leis i rith na hoíche. Thugadh siad spléachadh isteach i gceann gach cúig nó sé nóiméad lena fháil amach ar tháinig an diabhal sin fós. " Rinne mé mo dhícheall codladh," dúirt sé. " Bhí a fhios agam go raibh bealach crua fada romham, ach ba chuma cá mhéad caora a chomhairigh mé, nó cá mhéad coill dhorcha a shiúil mé i m'intinn, níor éirigh liom codladh a fháil, agus d'fhan mé i mo dhúiseacht an oíche ar fad."

Ar maidin lá arna mhárach d'éirigh sé go luath agus d'iarr cead Aifreann a léamh, ach fuair sé an freagra céanna. Cúpla uair ina dhiaidh sin tugadh ordú dó a chuid málaí a phacáil. D'iarr sé orthu cead a thabhairt do na sagairt eile cuidiú leis, ach dúirt siad nár cheadmhach sin. Tugadh cead do bheirt bhuachaillí an mhisin cuidiú leis. Chuir siadsan roinnt leabhar agus éadaigh isteach sa bhosca agus sa mhála a bhí sé ag brath a thabhairt leis, agus rinneadh an méid sin féin faoi shúil ghéar na bpóilíní. Thóg sé obair na pacála chomh réidh is ab fhéidir leis, ag iarraidh an t-am a chur thart, ach b'fhada an lá é go dtí an naoi a chlog, nuair a tháinig an t-ordú arís dul a luí. Ansin arís na coiscéimeanna troma ar urlár agus na huaireanta fada gan chodladh.

Tháinig an mhaidin dheireanach, an 17ú Meán Fómhair, 1952, an Chéadaoin a bhí ann. Dúirt an fear a bhí i gceannas go raibh air Hanyang a fhágáil inniu.

" An bhfuil tú réidh ? " arsa an póilín.

" Tá."

" Gach ní pacáilte ? "

" Tá."

" Cé hé a bheas i gceannas as seo amach ? "

" An tAthair Mac Crosáin."

" Tugtar an tAthair Mac Crosáin anseo." Tugadh.

" An bhfuil tusa toilteanach dul i gceannas anseo ? "

" Tá," arsa an tAthair Mac Crosáin.

" Tá an Gealbhánach seo," arsa an póilín, " i Hanyang le dhá bhliain tríochad. An bhfuil tusa toilteanach bheith freagrach i bhfiacha ar bith a chuirtear ina leith de bharr na mblianta sin ? "

" Tá mé toilteanach," d'fhreagair an tAthair Mac Crosáin. Tugadh doiciméad Síneach dó agus shínigh sé é.

Cad é a bhí in intinn an easpaig le linn na n-uaireanta deireanacha sin a bheadh aige go brách i Hanyang ? Uaidh féin is fearr fios a fháil air:

" Faoi cheann uaire bheinn ag fágáil Hanyang, go brách b'fhéidir. Ní fiú dom cur síos ar an dóigh a bhí orm; leoga, tá sé os cionn m'acmhainne. Nuair a bheinn imithe, bheadh an tAthair Joe Mac Crosáin as Doire, an tAthair Pól Mac Aoidh as Cluain Fearta, agus an tAthair Aodh Sands as Droim Mór i lámha na ndeargach, gan taca, agus ní raibh neart agam air. Tháinig mé féin go Hanyang fada fada ó shin le mo dhícheall beag a dhéanamh ar son Dé agus na n-anamnacha agus anois bhí mé ag imeacht as mar a bheadh coirpeach ann. Tháinig cuimhní ón am a bhí thart chugam, na sagairt mhóra, na bráithre agus na siúracha a d'oibrigh ar son Dé chomh dúthrachtach dílis sin, in aghaidh srutha dhosháraithe, ar fud na deoise; na hard-idéalaigh, na smaointe breátha a bhí acu; na holliompuithe, an troid chun airgead a bhailiú, agus an dúil mhór go dtiocfadh an lá a mbeadh deoise Hanyang, i gceartlár na Síne, Caitliceadh ar fad. Anois fágadh an deoise gan sagairt nach mór; bhí sí in ainriocht, agus díbríodh dúil na laethanta sin mar a dhíbrítear brionglóid.

" Ach bhí sólás mór amháin ann, a bhí ina rith trí mo chuid smaointe cosúil le snáithe beag óir; b'iontach ar fad chomh dílis don Eaglais is a d'fhan Caitlicigh Hanyang; na sagairt Shíneacha nach bhfuil seachrán ar bith orthu faoi na deacrachtaí agus na dainséir atá le teacht, iadsan atá réidh le bás a fháil ar son an chreidimh. Agus tá Siúracha Síneacha na Maighdine Muire chomh fírinneach le cruach. Ghabh na deargaigh seilbh ar gach rud dá raibh againn, tithe pobail, séipéil, ospidéil agus clóis na misean; ach tá an fhoirgníocht spioradálta slán, buíochas do Dhia. Bheannaigh mé an clós agus an ardeaglais, an deoise go huile, na sagairt, na siúracha agus an pobal. Chuir mé faoi choimirce Dé iad, faoi choimirce na Maighdine Muire agus Naomh Colmán, éarlamh na deoise agus na hardeaglaise. Sin a raibh mé in inmhe a dhéanamh, ach ba leor é.

" Díbrítear easpaig choimhthíocha agus sagairt as an tSín gach lá. Nuair a dhíbreofar an duine deireanach, rachaidh cúis na hEaglaise Caitlicí go cnámh na huillinne. Beidh caillteanais ann, tréigean, agus séanadh creidimh féin de bharr brú, braighdeanais agus crá—ní foláir é. Ach creidim go n-éireoidh leis an Eaglais Shíneach an creideamh a chaomhnú ar dhóigh éigin. Tá mé cinnte d'fhíréantacht na n-iomad Caitliceadh atá scaipthe i gcúigí éagsúla ar fud na tíre, daoine a bhfuil dhá chéad bliain d'fhuil Chaitliceach ina gcuislí, sliocht na géarleanúna. Beidh siadsan réidh le bás a fháil ar son an chreidimh, mar a bhí a sinsir rompu. Is é an bás dlí an nádúir, síol na beatha nua, agus is í fuil na mairtíreach síol na gCríostaithe. Nuair a bheas an t-uamhan dearg agus an ghéarleanúint seo thart, éireoidh Eaglais níos mó agus níos láidre as coscairt na Síne, agus tabharfaidh sí a haghaidh ar bhreacadh nua lae, ar ré úr.

" Smaointe mar seo a bhí ag dul thart i mo cheann nuair a dúradh liom go raibh sé in am agam imeacht. Chuaigh mé síos an cosán faoi gharda sheacht bpóilín, thar an ardeaglais agus ar aghaidh go príomhoifig na bpóilíní i Hankow. Lean an tAthair Mac Crosáin an mórshiúl, agus nuair a thángamar go príomhgheata an chlóis chroitheamar lámh agus d'fhágamar slán ag a chéile gan focal a rá nach mór. Ar a dó a chlog bhíomar i Hankow agus cuireadh isteach i seomra áirithe mé. Sa tseomra sin a céasadh a lán sagart agus siúracha a raibh ainm an choirpigh orthu, " náimhde an Stáit," agus iad daortha roimh ré chun príosúin nó díbeartha. Shuigh mé síos ar an chathaoir a taispeánadh dom agus chuaigh a smaoineamh ar fhreagraí ar cheisteanna samhalta. I gceann uaire go leith osclaíodh an doras agus isteach leis an Athair Paludetti, O.F.M., prócadóir ard-deoise Hankow agus tréadaí theach pobail na Maighdine Muire gan Smál. Ba choirpeach eisean fosta, mo dhála féin, i súile na bpóilíní. Ar a sé a chlog tráthnóna tugadh chun siúil an bheirt againn trasna na Yangtse go Wuchang le fanacht ar thraein an mheán oíche go Canton. Le linn an fhuireachais seo bhíomar inár suí ar bhinsí beaga adhmaid, gan cead againn labhairt lena chéile. Tamall gairid roimh an mheán oíche chuamar ar an traein, i gcuideachta triúr póilíní, an garda a bheadh orainn le linn an turais sé huaire is tríocha go teorainn Hong Kong. Fuarthas cúpla suíochán in aice a chéile agus shuíomar ansin gan focal asainn go deireadh an turais. Bhí an aimsir iontach te ar fad. Bhí culaith throm Éireannach olla orm—an t-aon bhall oiriúnach a bhí agam. Ní thabharfadh " ár gcairde " cead dom na fuinneoga a oscailt ná mo chóta a bhaint díom, agus shuigh mé ansin, an t-allas go fras liom, agus gan dada eile ag cur mairge orm, ar feadh an turais. Ar a dó a chlog ar an 19ú lá chuamar thar an teorainn go dtí an tsibhialtacht agus an tsaoirse.

" Ba é an chéad fhear geal a casadh orm oifigeach Breatanach.

" Tá tú ag teacht as an tSín," ar seisean. " Cuir do lámh ansin, a Athair. Tá tú tuirseach tartmhar. Tar liomsa go raibh beoir fhuar againn."

" Ní raibh bia nó deoch againn ón tráthnóna roimhe sin. Ba í sin an bheoir ab fhearr dá ndearnadh riamh, agus ní mó nár rug mé barróg ar an tSasanach sin. I gceann tamaill bhig tháinig an tAthair Mac Conmara ina rith chugam. Níor dhuine saolta ach aingeal ó neamh agam é, ag teacht a cheiliúradh na hócáide. Thug sé mé go dtí an Club Caitliceach i Hong Kong. Chuir Siúracha Naomh Colmán agus cairde Caitliceacha céad fáilte romham, agus fuair mé a trí nó a ceathair de chupáin den tae ab fhearr dá bhfuair mé riamh. Bhí mé gléasta go huafásach, díreach mar a tháinig mé ón taobh thiar den chúirtín dearg, ach ba chuma leo. Ní raibh aon duine ag éisteacht leis an duine eile, ach iad go léir ag caint agus ag déanamh muintearais.

" An tráthnóna sin chuaigh mé go Teach Maryknoll, Stanley, áit a bhfuair mé fáilte agus céad ó na haithreacha. Bhí an tArdeaspag Riberi ann, idirnuinteas an Phápa, a bhí ina rúnaí sa nuinteasacht i mBaile Átha Cliath tráth, agus a díbríodh as an tSín an bhliain roimhe seo. D'fháiltigh seisean romham mar a bheadh athair ann.

" Iarraim ar gach duine a léann an litir seo guí ar son na hEaglaise sa tSín, agus le gach dea-ghuí,

Is mise le meas,

Éamann S. Ó Gealbháin."

Scríobh bean de Shiúracha Naomh Colmán:

" Tháinig an tEaspag Ó Gealbháin anseo aréir; bhí sé tanaí tnáite, níos cosúla le fear déirce nó le haon rud eile. Chonacthas dúinn go raibh dínit mhór, cúirtéis agus caithréim ag baint leis. Ba í Caithréim na Páise í, bua na Croiche."

B'as Baile Níos don tsiúr.

CILL MHUIRE

BHAIN an tEaspag Ó Gealbháin San Francisco amach an 14ú Nollaig, 1952, i ndiaidh seoladh ó Hong Kong sa President Madison. Ba léir go raibh rud éigin cearr leis agus d'aithin na dochtúirí i Los Angeles go raibh ailse na fola air. D'fhan sé ansin ar feadh tamaill, agus ansin chuaigh sé i gceann an aistir trasna na tíre. Na huaireanta eile a rinne sé an turas seo ní raibh a dhath ar a intinn ach an misean i Hanyang, ach bhí deireadh leis sin anois. Ba é mian mhór a chroí anois Féile Naomh Colmán a fheiceáil ar chaileandar chomhchoitianta na hEaglaise. Rugadh é féin i gcothrom an lae féile sin, agus bhíodh sé i gcónaí ag caint faoin naomh Éireannach seo, ag rá " nár fheall sé air riamh." Ba é Naomh Colmán a chuaigh anonn as Beannchor sa séú aois, le haon duine dhéag eile, chun solas na Críostaíochta a athlasadh san Eoraip. Ba é Colmán a shiúil thar chorp a mháthar nuair a rinne sí iarracht é a choinneáil ó ghlao Chríost. Níl sé deacair a fheiceáil cén fáth go raibh an t-easpag chomh tugtha do Naomh Colmán.

Sular fhág sé Meiriceá chonaic sé gach easpag ar an chósta thiar, agus thug cuairteanna ar El Paso, Denver, Pueblo, agus Santa Fe. Chuaigh sé go Texas, Louisiana, Arkansas agus na machairí móra i lár na tíre. Bhí gach duine lách cineálta leis agus gheall siad tacaíocht mhorálta dó. Ar ndóigh bheadh sé fíordheacair gan taobhú leis an fhear seo a chaith an chuid is mó dá shaol in ord catha. Chomh maith leis an obair seo ar son Naomh Colmán chuir sé an t-am isteach ag scríobh litreacha, go háirithe chuig na seanchairde a bhí leis sa tSín. " Bí sé fíordhílis i gcónaí," dúirt fear amháin acu seo liom. " Ní dhéanfadh sé dearmad ort go deo na ndeor. Scríobh sé chugamsa as an ospidéal i dTexas, agus dúirt sé liom gur léir dó go fóill an áit a ndeachaigh mé ar mo ghlúine ar an talamh i Hanyang lena bheannacht dheireanach a fháil. Tá an litir sin agam go fóill."

I mí na Bealtaine, 1954, rinne sé réidh le dul abhaile. Chonaic sé Brooklyn don uair dheireanach agus chroith lámha lena seanchairde go léir. Ní raibh mórán cainte faoin Mhonsignor Mac Conrubha anois i mBrooklyn, ná faoi chuid mhaith daoine eile a raibh aithne aige orthu fadó, ach bhí na céadta ann a ralbh eolas acu ar Mhisean Má Nuat chun na Síne, agus a d'íoc a síntiúis leis go rialta. Dhiúltaigh sé an turas abhaile a dhéanamh sa chéad ghrád, agus ní mó ná gur lig sé do na sagairt i mBrooklyn dhá bhall bagáiste a cheannach dó. Chosain ceann amháin acu dhá dhollar,

Bhain sé an tSionainn amach agus níorbh fhada go raibh sé i nDealgán—an Dealgán Nua in aice leis An Uaimh, nach bhfaca sé riamh cheana. Ceann de na sóláis dheireanacha a bhí aige ina shaol go bhfuair sé amharc ar aghaidheanna geala óga na mac léinn a chruinnigh thart air ansin, na daltaí a raibh an stair agus na scéalta léite acu, a chuala macalla an trumpa chéanna a cuireadh á sheideadh daichead bliain roimhe sin.

Ar feadh bliana nó níos mó, i ndiaidh a theacht ar ais go hÉirinn, bhí a neart ag trá de réir a chéile. Ba ghnách leis é féin a tharraingt ón tseanáit i gCorcaigh go dtí an Uaimh, agus ar ais arís. Ní raibh a deartháir, Seánó, i gClódach anois, ach bhí teach cónaithe aige in aice na háite. Ba mhaith leis an easpag suí sa gharraí os comhair an tí seo agus a phortús a léamh, nó bheith ag caint leis na comharsana, lena chuid nianna is neachtanna, agus le haon duine a thiocfadh an bealach. Agus ba mhinic a théadh sé síos an cosán beag sin ar clé agus sheasadh ag an gheata ag féachaint ar Chlódach, ar an Gharraí Cabáiste a mbíodh sé féin agus Seánó agus Den ag súgradh ann fadó, ar an doras sin i gcúl an tí ar cuireadh an litir úd chun a mháthar isteach faoi i 1912. Ós rud é go raibh teaghlach eile ina gcónaí sa teach, bhí sé sásta go leor fanacht ag an gheata agus gan a bheith á mbuaireamh. Bhí a dheirfiúr, Cáit Bean Uí Mhathúna, ina cónaí sa cheantar céanna, i dTeach Bhaile Michíl, Lios Ardachaidh, agus ba ghnách leis stopadh ansin. Shuíodh sé cois na tine ag caint le Seánó, nó cibé bhí istigh, go mbíodh am luí domhain ann. " Bhuaileadh fonn é anois is arís," deir Cáit, " bia de chineál éigin a iarraidh. Dúirt sé lá amháin: 'Tá mé ag dul amach agus nuair a fhillfead ba mhaith liom prátaí agus cabáiste agus crúsca mór bainne.' Ach níor ghlac sé é ach aon uair amháin."

Faoi dheireadh bhí sé ró-lag leis an turas a dhéanamh go Corcaigh níos mó. B'ualach leis na staighrí féin i dTeach Dowdstown, príomhoifig an mhisin, le taobh Choláiste Naomh Colmán. Nuair a sháraigh an siúl air ba mhaith leis dul amach sa ghluaisteán i gcuideachta an Athar Uí Laochra, seanchara eile leis ó Hanyang. Théadh siad amach trí Ghleann na Bóinne, b'fhéidir, go Cnoc

Sláine nó go Teamhair. Bhíothas ag tochailt Dumha na nGiall ag an am. Ó dheilbh Naomh Pádraig ar Theach Chormaic d'fhéachadh an bheirt acu síos ar an radharc céanna ar fhéach Pádraig féin air in allód. Shuíodh sé ansin go cnámhach snoite, agus thagadh leochaileacht éigin ar a ghrua agus deireadh sé go híseal focail Naomh Pádraig: "Críost liom, Críost romham, Críost i mo dhiaidh. . . ."

Tháinig an geimhreadh 1955, agus lena linn bhí sé ag dul i laige leis. Bhí deireadh anois leis na cuairteanna go Clódach, agus bhí a chairde go huile ag coinneáil súile go géar air. D'fhan sé san ospidéal i Sráid Chill Mochargán, Baile Átha Cliath, ar feadh tamaill agus is beag nach bhfuair sé bás ansin. Dúirt sé rud éigin faoi bhia Shíneach agus é san ospidéal, agus rinne Siúracha Naomh Colmán a ndícheall é a dhéanamh go maith dó, ach níor ghlac sé ach uair amháin é. Lá amháin, nuair a bhí a nia, an tAthair Dónall Ó Mathúna, istigh leis d'iarr sé air a mhála a thabhairt dó. D'oscail sé é agus thóg amach seicleabhar a bhí istigh ann. "Cuir sin sa tine," ar seisean. "Ní raibh seicleabhar agamsa riamh." Lá eile agus é ag caint faoin litir iontach sin a scríobh sé chuig a mháthair fadó, mhol sé í a strócadh ina mionbhlúirí. Ach níor strócadh, buíochas do Dhia, agus tá sí i seilbh a dheirféar, Cáit, go dtí an lá atá inniu ann.

I mí Feabhra, 1956, bhí sé ar ais i dTeach Dowdstown, ina luí sa tseomra ardshíleálach ag cúinne log an staighre. Os coinne na fuinneoige ar a chlé bhí braillín éadrom sneachta ar an fhána síos go huisce dorcha na Bóinne. Tráthnóna an 22ú lá ghlaoigh an tsiúr a bhí ag freastal air isteach ar na sagairt agus dúirt siad an Paidrín. Bhí an tEaspag Ó Cléirigh ann, é féin ina dheoraí óna dheoise i Nancheng. Tháinig sé in aice leis an othar anbhann a bhí tais le hallas sa leaba, agus labhair go híseal leis faoin tSín agus faoi na flaithis.

"An dtabharfaidh tú aire domsa agus do Chaitlicigh bhochta Nancheng ? "

Bhí sos ann ar feadh tamaill, ionann is dá mbeadh an t-easpag ag machnamh ar an iarratas, agus ansin tháinig an freagra go fadálach:

"Sea. Tabharfaidh."

Tugadh an aspalóid dhéanach dó agus dúradh na paidreacha don té atá le bás. Thagadh sé chuige féin anois is arís, agus ansin thiteadh sé thart arís, an neart ag síothlú as a chorp beagán ar bheagán. Bhí an tAthair Tiomóid Ó Conghaile, an t-uachtarán ginearálta, an Mháthair M. Fionnbharr, an chéad mháthair ghinearálta ar Shiúracha Naomh Colmán, agus an tAthair Tomás Ó Cinnéide, prócadóir an tí, ag colbha na leapa nuair a d'fhág an anáil é. Bhí a dhá shúil greamaithe ar an Chroch nuair a thit na lámha móra gníomhacha sin ar an chuilt.

Ar an 25ú lá bhí rud beag sneachta ina luí ar na páirceanna peile, agus fannghrian ag scalladh amach trí na néalta, nuair a d'iompar siad é go dtí an uaigh i roilig an Choláiste. Ba é a sheanchara, an tAthair Seán Ó Bláthmhaic, Comhbhunuitheoir an Chumainn, a léigh Aifreann na marbh, agus ar an tslua a bhí i láthair bhí Uachtarán na hÉireann, Ardeaspag Chaisil, cúigear easpag agus buíon mhór chléire. I measc na gcaointeoirí bhí dream ar leith, Caitlicigh Shíneacha ó Choláiste Ollscoile Bhaile Átha Cliath a raibh scrollaí fada comhbhróin ar iompar leo de réir nóis an Domhain Thoir.

Lá amháin sa tSín dúirt an tEaspag Ó Gealbháin le bean de Shiúracha Loreto: " An bhfuil a fhios seo agat? Tá tnúthán amháin agam—mé a chur in Éirinn. Ach táimid pósta leis an tSín—an uile dhuine againn—agus cuirfear sinn go léir amuigh ag Din Ja Lin."

Cibé mian chroí dá raibh aige nár chomhlíon Dia dó, chomhlíon Sé an ceann seo ar scor ar bith.

I músaem beag i gColáiste Naomh Colmán, tá a chrois uchta agus a fháinne le feiceáil. Ní hí seo an chrois a bhí aige i lár na bhfichidí agus é ina mhaor aspalda, ach an ceann a bhí aige mar Easpag Hanyang ó 1927 to ham a bháis. Maidir leis an fháinne, an " fáinne oibre," tá sé chomh caite sin go bhfuil an chloch neamhlonrach agus an phlátáil óir beagnach caite. Ba ghnách leis i ndeireadh a ré i Hanyang an fáinne a choinneáil ina phóca. Tá a leabhar gnásanna sa mhúsaem freisin, agus an tuarascáil seo scríofa ar an fhordhuilleog:

" 24 Deireadh Fómhair, 1920; Pádraig Seosamh Wang baiste agam inniu—ár gcéad bhaisteadh sa tSín. Deo Gratias." Tá bratach na hÉireann ann freisin, an ceann a tógadh os cionn an mhisin i 1951 nuair a tháinig na cumannaithe. Tá a shéala féin agus séala na deoise le feiceáil ann mar an gcéanna. Le cuidiú Dé cuirfear dúch orthu arís.

AISBHREATHNÚ

I SÚILE an tsaoil seo ba shaothar in aisce obair an Easpaig Uí Ghealbháin agus an mhisin chun na Síne. Ach i súile an tsaoil bhí a shaothar in aisce ag Mac Dé féin. Mar sin de, ní féidir obair mar seo a mheas ó na rudaí a chuirfeadh cuma rathúil uirthi i súile an tsaoil seo, tithe pobail, ospidéil, scoileanna, agus eile; obair spioradálta í nach furasta a toradh a thomhas.

B'iad na sagairt a bhí taobh leis an easpag sna laethanta deireanacha sa tSín a fuair an t-amharc ceart ar a anam uasal, dar liom. Nuair a bhíos an bás ag stánadh idir an dá shúil orainn, ní iontas é má nochtaimid smaointe agus mianta ár gcroí. Chuir duine de na sagairt seo ceist air lá faoin chiall a bhí leis na focail a dúirt ár dTiarna le hAnanias, mar a luaitear i nGníomhartha na n-Aspal: " Taispeánfaidh mé dó na rudaí móra a bheas le fulaingt ar mo shonsa aige." D'amharc an t-easpag air ar feadh nóiméid, agus ansin dúirt: " An é nach dtuigeann tú sin ? Tá sé chomh soiléir agamsa le grian an mheán lae. Nach cuimhin leat focail an tsoiscéil ? *Mura bhfaighe an gráinne arbhair a thiteas sa talamh bás, ní bhíonn ann ach é féin, ach má fhaigheann sé bás tugann sé toradh mór uaidh.*"

Ba réalaí é. Tá daoine ann a bhfuil pictiúr ró-luisniúil acu de shaol an mhisinéara. Feiceann siad é ar leathanaigh na n-irisleabhar, ag léamh a phortúis i ndeireadh an bháid le luí na gréine. Ach is fíorannamh a luíos draíocht na crosáide ar an tsaol a bhíos aige. Ní cleachtadh leanúnach ar an ainnise é ach oiread. Saol eachtrach ar leith é, a bhfuil a dhualgais níos sásúla ná aon dualgas eile. Is é an gníomh beatha é is sona agus is ainnisí dá bhfuil ar chumas an duine. An misinéir féin amháin a thuigeas an paradacsa sin.

" Tá an saol seo chomh leamh le Calvaire," dúirt sé uair amháin. B'fhéidir gurb é an rud é ba thréithí dá ndúirt sé riamh. Bhí an tSín leamh go leor. Níor thit sé i ngrá léi riamh, mar a thit sé i ngrá le Críost. Níor mhaith leis cuid mhór dá béasa agus dá béalaí. Níor thaitin callán na dtinte ealaíne leis, cé go ndéanadh sé a dhícheall i gcónaí an doicheall sin a cheilt. Ba ghnách leis na Sínigh stopadh sa tsráid, má chonaic siad beirt ag caint, agus cúléisteacht go hoscailte leo. Dá mba rud é gurbh Eorpaigh a bhí ag caint, agus teanga aisteach le cloisteail, ba mhór a suim ar fad ann. Níor thaitin an tréith seo leis ach oiread, ní nach ionadh. Ní raibh mórán príobháideachais sa tSín. Chaití bia, agus go minic chomhlíontaí dlíthe an nádúir, go poiblí. Chuireadh seo isteach go mór ar dhuine a tógadh in Éirinn, agus chuir sé isteach ar nádúr séimh an easpaig. Lá amháin bhí de mhisneach i sagart dá chuid cúpla ceist a chur air faoi rudaí nach luafaí ach go raibh siad go léir den bharúil nach bhfeicfeadh aon duine acu a thír dhúchais choíche.

" Conas a bhraithis tú féin i rith na mblianta seo ? "

" Mar fhear ar lagchuidiú."

" An raibh aiféala ort riamh go dtáinig tú anseo ? "

' Ní raibh riamh."

Ba dhomhain agus ba bhuan an grá a bhí aige d'Éirinn, agus go háirithe do Chontae Chorcaí. Bhain triúr sagart Hanyang amach i ndiaidh teacht ón tseantír agus tharla gurbh as Corcaigh do dhuine acu. I rith an chéad lae níor luaigh an t-easpag Corcaigh oiread is uair amháin, ar eagla, is dócha, go measfadh na daoine eile nach raibh a oiread ceana aige orthu féin. Ach le linn na laethanta deireanacha i Hanyang nochtadh sé na smaointe ab uaigní ina chroí.

" Ar dheacair leat Éire a fhágáil ? " dúirt sé le sagart óg, agus ansin thosaigh sé a chaint faoin am a bhí sé sa bhaile i 1924. Ghoill sé chomh mór sin air an focail scoir a rá gur imigh sé sa deireadh gan slán a fhágáil ag aon duine. D'fhan cuimhne a chontae dhúchais chomh glinn sin aige—ceangal leis an mheabhair cheart b'fhéidir—go raibh sé in ann na súile a dhúnadh agus gach teach agus feirm a ainmniú ó Bhaile Níos go Lios Ardachaidh, agus ar ais tríd an Bhaile Gallda agus Béal na mBláth. Ach ba chaitheamh aimsire é sin nár chleacht sé ach go hannamh.

Má labhraíonn tú le duine ar bith de na sagairt a d'oibir leis, cluinfidh tú an abairt seo arís is arís eile: "Ní iarrfadh sé ar dhuine aon rud a dhéanamh nach ndéanfadh sé féin." Deirtear an abairt chéanna faoi thíoránaigh fosta, ach níor thíoránach an tEaspag Ó Gealbháin. Ar ndóigh, ba cheann de na buanna ba mhó dá raibh aige go raibh a fhios aige conas freagracht a roinnt le fir eile. Níorbh fhéidir gan aontú leis.

" Bhí mé ag smaoineamh go mb'fhéidir gur cheart duit dul síos go Tsan Dan Kow tamall . . . tá a leithéid seo ina aonar ansin, tá a fhios agat . . . ar feadh cúpla seachtain nó mar sin."

" Sea, a Mhonsignor " (ag machnamh: " Tar éis na Nollag ! ")

" Maith thú. Creidim go bhfuil bád ag dul an bealach sin san oíche amárach."

" Déan do dhícheall," deireadh sé. " Anois, níor dhúirt mé an méid is féidir, ach do dhícheall féin."

Nuair a bhíodh sé ag iarraidh comhairle, i gcruachás éigin, deirtí leis amanna: " Cad is fiú mo bharúilse ? B'fhéidir go ndéarfainn rud amaideach."

" Maith go leor," a deireadh sé. " Beidh a fhios againn mar sin cén rud atá le seachaint."

" Féach ansin," dúirt sé lá amháin, ag tagairt don phictiúr a bhí ar an bhalla, ár dTiarna agus na haspail ag dul tríd an ghort arbhair. " Féach air ! Cad chuige nach scríobhann duine éigin beathaisnéis ár dTiarna mar a bhí sé dáiríre ? Féach ar na héidí deasa sin. Na dathanna gleoite. Chomh glan is tá siad ! Leoga bhí ár dTiarna allasach deannachúil chuid mhór den am. Agus féach ar na haspail. Ní raibh an Spiorad Naomh leo go fóill, mar a bhí lá Cincíse. Níor thuig siad an leathchuid dá raibh sé a rá leo. Ach cad é faoin phobal ? Tháinig cuid acu chuige le teann fiosrachta, nó le rud éigin a fháil uaidh, agus ansin as go brách leo. Agus tháinig cuid eile, b'fhéidir, leis an lá a chur isteach. Sea, má tá tú ag dúil le níos mó ná a fuair seisean, is amadán ceart tú."

Ina thuairim féin níor phrionsa den Eaglais in aon chor é, ach giolla-easpag nó " coolie bishop."

" Is cuimhin liom an chéad uair a chonaic mé é," scríobh fear amháin. " Bhí mé sa tsean-Dealgán. Is cuimhin liom go bhfaca mé é taobh amuigh den fhuinneog agus Ford beag aige. Cuireadh cuid againn in aithne dó thuas sa tseomra agus phógamar a fháinne. Ní fhaca mé é go ceann tamaill fhada ina dhiaidh sin, ach is é an pictiúr a bhí i mo cheann, easpag gléasta agus gach rud a théann leis an smaoineamh sin in Éirinn. Nuair a bhaineamar an tSín amach, samhradh brothallach a bhí ann. Bhí culaith mhaith bhán amháin ag gach fear againn. Ansin osclaíodh an doras agus tháinig an seanghiolla seo isteach, forléine Shíneach air ceangailte le leithscéal de chrios, agus é ag cur allais go trom.

" Ar fhoghlaim sibh aon Sínis ar an bhealach amach ? "

" Rud beag, a Mhonsignor."

" Déanaigí dearmad air le linn an teasa seo. Níl againn anois anseo ach saol na bó."

Níor smaoinigh sé riamh ar a chompord féin, agus b'ionann leis gach sagart sa deoise. " Níl coróin ar dhuine ar bith sa teach seo," a deireadh sé. " Ar aghaidh leat go dtí go mbuaile tú le balla cloiche. Ansin tar ar ais chugam agus déanfaimid ár ndícheall bealach thairis a fháil nó bealach faoi nó thart air." B'fhéidir go mbeadh air iarratais inmholta a dhiúltú de dhíobháil airgid. " Féach anseo, a Mhonsignor," a deireadh sagart éigin leis. " Ní ar mo shon féin a iarraim é ach ar son an mhisin—ar do shonsa fosta."

" Tá a fhios sin agam, agus is é do dhualgas é a iarraidh. Agus mo dhualgas-sa éisteacht leat."

B'fhéidir go mbeadh focal beag eatarthu agus go rachadh an sagart amach go fíordhíomach. Théadh an t-easpag go dtí an doras leis, agus nuair a thagadh sé ar ais, deireadh sé lena rúnaí:

" Níl ionamsa ach an t-easpag."

Tá aon bhliain déag caite anois ó ghluais sé trí Hanyang. Na leanaí sin a bhaist Kao Er Wen, tá siad ina ndéagóirí anois. An bhfuil dearmad déanta acu air ? An cuimhin leis na daoine meán-aosta an tseanmóir bhreá sin ar Athaireacht Dé agus iad ag féachaint ar an ardeaglais ? Nó an mbaintear cliseadh as po-po aosta éigin nuair a fheiceann sí gnúis iartharach agus boinéad dubh olla i gcúinne an tsampáin ? Nó an mbíonn aon duine nach gcuala a bhás ag feitheamh go fóill leis, ag súil le gluaiseacht bheag thar scáth na gcrann maoildeirge agus Kao Er Wen ag iompar Chríost aníos chucu ar bharr na th'ees arís ?

Ceisteanna amaideacha. Tá níos mó ná míle a lean é. Tá siad in Éirinn, i Sasana, sa Róimh, sna Stáit Aontaithe, i Meiriceá Theas, san Astráil, i dTaiwan, sna hOileáin Fhilipíneacha, sa Chóiré, i mBurma, san Fhidsí agus sa tSeapáin. Agus ní beag sin don bhuachaillín as Baile Níos an lá atá inniu ann.

PAIDIR AR SON NA hEAGLAISE SA tSÍN

A THIARNA ÍOSA CRÍOST, a thuirling ar an tsaol chun anamacha a tharrtháil, oscail do Chroí Ró-Naofa anois agus déan trócaire ar phobal an Domhain Thoir. Doirt anuas do ghrásta orthu, ionas go bhfaighidh siad eolas ar do Shoiscéal. Beannaigh agus cosain do mhisinéirí agus deonaigh go mbeidh anamacha gan áireamh mar thoradh ar a gcuid oibre ar do shon. Aiméan.

DAOINE AGUS ÁITEANNA

NIHIL OBSTAT: Seosamh Mag Uidhir

Censor Deputatus

IMPRIMI POTEST: ✠ Gulielmus

Easpag an Dúin agus Coinnire

AN CLÓCHOMHAR TTA

LEABHAIR THAIGHDE

Eagarthóir: Seosamh Ó Duibhginn

Iml. 1. Foclóir Fealsaimh, le Colmán Ó Huallacháin, O.F.M.

Breis is dhá mhile téarma fealsúnachta. I ndiaidh gach téarma acu tá miniú i nGaeilge, maille le bunús an fhocail, sa litríocht dhúchais nó sa téarmaíocht idirnáisiúnta, agus na téarmaí Gearmáinise, Béarla, Fraincise, Laidine ar an smaoineamh áirithe atá i gceist i ngach cás ar leith. Tá treoir iomlán ann (tuairim 10,000 focal) ón nGearmáinis, ón mBéarla, ón bhFraincis agus ón Laidin. Monseigneur Louis de Raeymaeker, Uachtarán Ard-Institúid na Fealsúnachta in Ollscoil Louvain a scríobh an Réamhrá. 20*s*.

Iml. 2. An Grá in Amhráin na nDaoine, le Seán Ó Tuama

Mionchomparáid théamúil idir amhráin tuaithe na Gaeilge agus amhráin Fhraincise ó na Meánaoiseanna. Léiríonn an t-udar gur toradh ar an ngabháltas Angla-Normannach (12-14ú céad) formhór na gcineálacha amhrán grá a bhíonn á ngabháil inniu féin i nGaeltachtaí na hÉireann. Déanann an Dr. Ó Tuama mionchur síos ar an b*pastourelle,* an *chanson de la malmariée,* an *débat* grá, an *chanson de jeune fille,* an *chanson d'amour,* an *reverdie,* an *carole* agus amhráin éadroma na Gaeilge. 40*s*.

Iml. 3. Dónall Óg, le Seosamh Ó Duibhginn

Taighde ar cheann de na liricí is áille friotal agus is déine mothú dá bhfuil againn. Leaganacha Connachtacha, Muimhneacha, Ultacha agus Albanacha. Tá leagan de cheol an amhráin ann. 6*s*.

Iml. 4. Caoineadh Airt Uí Laoghaire, le Seán Ó Tuama

Nuachóiriú ar an gcaoineadh mór a rinne Eibhlín Dubh. Tá Réamhaiste thábhachtach ann ina bhfuil léiriú ar shaol na haimsire úd agus ar na daoine a ghabh páirt sna himeachtaí maraon le cur síos ar an gcaoineadh féin. Líníocht de Theach Ráth Laoich agus mapa. 7*s*. 6*d*.

Iml. 5. Tótamas in Eirinn, le Seán Mac Suibhne, S.M.A.

Tráchtas údarásach ar an tótamas, agus tuairimí eitneolaithe faoi. An seansaol in Éirinn: na seandlithe, an tuath, an fhine, an córas clannach. Cultas ainmhithe, sloinnte, an gheis. Dearcadh an lae inniu ar an tótamas. 8*s*. 6*d*.

Iml. 6. Caitheamh Aimsire ar Thórraimh, le Seán Ó Súilleabháin

Tá an t-údar ina shaineolaí ar chúrsaí béaloideasa. Tá cuntas sa leabhar ar an ólachán, ar na comórtais nirt agus lúith, agus ar na céadta cluichí foirmiúla a bhíodh á n-imirt i láthair an choirp sa seansaol, agus ar iarrachtaí na hEaglaise chun deireadh a chur le míchleachtaithe ar thórraimh. Is é seo an chéad leabhar a scríobhadh i dtaobh an ábhair seo i nGaeilge ná in aon teanga eile. Pictiúir. 12*s*. 6*d*.

Iml. 7. Clár na Lámhscríbhinní Gaeilge i Leabharlainn Phoiblí Bhéal Feirste, le Breandán O Buachalla. 10*s*.

Iml. 8. Seán Ó Donnabháin agus Eoghan Ó Comhraí, le hÉamonn de hÓir

Príomhimeachtaí na beirte a chuir tús athuair le saothrú an léinn dhúchais i modh scoláireachta agus léiriú ar an tréimhse a chaitheadar sa tSuirbhéireacht Ordanáis. Tá scéal casta eagarthóireacht an fhéineachais pléite go mion ag an údar. Cúig phictiúr. 10*s*.

Iml. 9. Filíocht Phádraigín Haicéad, le Máire Ní Cheallacháin

Buntéacsanna na ndánta agus na n-amhrán a chum an Haicéadach maraon le Malairtí, Nótaí agus Gluaiseanna. 10*s*.

Iml. 10. Caint an Bhaile Dhuibh, le Stiofán Ó hAnnracháin

Bailiúcháin focal agus leaganacha Gaeilge ó pharóiste an Bhaile Dhuibh i gCiarraí Thuaidh. Breis agus 1,400 focal, a mbrí agus a litriú foghraíochta. Logainmneacha agus ainmneacha pearsanta. Cuntas ar thréithe na canúna agus ar chúlra stairiúil an cheantair. An taighde is iomláine dár foilsíodh go dtí seo ar iarsmaí na Gaeilge sa Ghalltacht. Mapa. 15*s*.

Iml. 11. Muineadh na Gaeilge, le Diarmuid Ó Donnchadha

Feicfidh an tosaitheoir an bealach ceart ann chun an teanga a mhúineadh, cibé sórt scoile a bhfuil sé, agus tuigfidh an té a bhfuil na blianta caite aige á múineadh—cá bhfuil an dul amú ar na sean-mhodhanna múinte agus conas an scéal a réiteach. Tá cur síos ann ar mhodhanna múinte teangacha, ar an gcaint, ar an léitheoireacht, ar an scríbhneoireacht, ar an dátheangachas agus ar aidhm na múinteoireachta. Scéimeanna oibre. Léaráidí. 15*s*.

Le fáil ó
M. H. MAC AN GHOILL AGUS A MHAC, TTA
Sráid Uachtair Uí Chonaill
Baile Átha Cliath, 1
nó ó dhíoltóirí leabhar

Seán Ó Brádaigh agus Nicolaas van Vliet a dhear an clúdach.

I Lann Abhaic, Co. Aontroma, a rugadh an tAthair Pádraig Mac Caomhánaigh, 1922. Chuaigh sé go Coláiste Mhaolmhaodhóg, Béal Feirste, agus go hOllscoil na Ríona. Rinneadh sagart de i Má Nuat sa bhliain 1947. Theagasc sé matamaitic i gColáiste Mhaolmhaodhóg go dtí 1951 nuair a tógadh coláiste úr in Aontraim Thuaidh, Coláiste Mhac Naoise. Tá an tAthair Pádraig ansin ó shin. Bhuaigh sé Duais an Mhaolánaigh san Oireachtas, 1960, faoin ainm cleite Pádraig Uiséir agus cuireadh a chéad leabhar, Seans Eile, i gcló sa bhliain 1963. Fuair sé céim i dteagasc drámaí, 1956, agus is minic é ag déanamh moltóireachta ar dhrámaí sa Tuaisceart. Gach Nollaig léiríonn sé ceoldráma sa Choláiste.